もっと調べる技術

技術

国会図書館秘伝の
レファレンス・チップス 2

小林昌樹

皓星社

――家族の思い出のために――

目　次

本書の使い方

第1講
NDL デジタルコレクションは国会図書館の DX である

第2講
国会図書館にない本を探す法　　　　　　古書販売サイトを使う

ツールの使い方

第3講
リニューアルされた NDL サーチを使ってみる
蔵書目録と総合目録をプラス

第4講
デジコレの 2022 年末リニューアルをチェック！
ファミリーヒストリー編

**第5講
デジコレの 2022 年末リニューアルをチェック！** 　　　官報編

第6講
ネット上で確からしい人物情報を探すワザ　　現代人編

第7講
推し活！──アイドルを調べる

お店の歴史の調べ方

本の探し方

第10講
予算無限大の理想のコレクションから、現役のレファ本を見つけるワザ

第11講
洋書はCiNii。それって常識？ 出たはずの本を見つける

サイニー

第12講
風俗本（成人向け図書）を調べるには 国会図書館の蔵書を中心に

言葉の調べ方

第13講
「ナウい」言葉が死語になる時
言葉の流行りすたりや作家の人気度を測る

第 14 講
言葉の来歴（語誌）を調べる方法

附・用例検索の方法、長期トレンド検索法

コラム

本書の使い方

この本の成り立ち

　この本（本書）は前著『調べる技術：国会図書館秘伝のレファレンス・チップス』の続編である。前著で汎用性の高いレファレンス技法（＝レファレンス・チップス）や知識を 14 講にわたり解説した。それが思わずヒットしたので 2 冊目、つまり本書が出ることになった。

　本書は前著に続いて書かれた 1 年間の連載をまとめたものである。そのため、その時々の情報環境が前提になっている。一書にまとめるにあたりできるかぎり見直したが、それでもなお、現在ただいま（2024 年 5 月）とズレている部分があるだろう。特にインターネット上のネット情報源は改廃が激しいので、その部分は了とされたい。

　調べものをする際に、グーグルは我々にとってどんな意味があるのか、あるいは、ちょっと調べる（参照する、リファーする）のとシッカリ調べる（調査・研究する、リサーチする）のとどう違うのか、といった調べものをする際の「基本的な考え方」は前著の「はじめに」に短く書いておいた。

本書は前著よりもさらに、どこから読んでもよい

　しかし、前著もそうだったが、本書も興味のある個々の章をいきなり読んでいただいてかまわない。本書は前著よりもさらに単純に、「○○を調べるには、××と△△のツールで、□□っぽく検索するとよいよ」という章の繰り返しである。

　そういう意味では「ツール」がたくさん出てくる。前著の最終章「同じ魔法が使えるようになるために」でも強調したが、ツールをたくさん憶え

込むことが調べるノウハウではないことに留意して読んでほしい。

　また、調査・研究（リサーチ）には文学や工学といった知識分野ごとに「体系」やら「方法論」やらがあるが、ちょっとした調べ（参照＝レファレンス）には、そんなに「体系」や「方法論」はない（もちろん共通して気をつけるべき点はあるが）。というか、実際に個々の案件を調べている途中に気をつける、といったアプローチのほうが調べものもうまくなる。辞書を引くときにも、先に求める言葉を引いて、そこに変な記号があったら「これ、何だろう」と凡例を見る、という順番だ。

たった2年で重要ツールが結構、出現

　本書では前著に書けなかったレファレンス・チップス（参照技法）や、前著を書いた際に——たった2年前なのに！——はまだこの世に存在しなかった重要なレファレンス・ツールについて説明した。前著の末尾で例示したように、レファレンス・チップスは細かい技法については、まだ山のようにあるため、おいおい出てきた際に少しずつ説明するとして、レファレンス・ツールについてはここで短く説明しておく。

　辞書や事典を図書館学（あるいは司書課程）の専門用語で「参考図書」という。なんのことはない「レファレンス・ブック」を漢語にした翻訳語である。しかし、それをいうなら中国語の「工具書」のほうがむしろ適訳だ。読む本でなく引く本、通読する本でなくちょっと見る本のことで、これはレファレンス・ツール（reference tool）の翻訳である。一言で「ツール」と呼ぶ（本来「トゥール」だが）。

　ここ20年ほど、大規模な工具書は多くが「ネット情報源」（internet information resource）に形を変えた。メディア変換したと言ってもいいだろう。本書では紙もネットも両方使うのが効果的という観点から、参考図書とネット情報源をあまり呼び分けず、ツールと呼ぶ。

ツールとそのありか──図書は図書館に、ではネット情報源は？

　参考図書を使うには本屋で買うなり、図書館へ行くなりしなければならないが、ネット情報源を使うにはネット上の置き場所、つまり URL を知ればよい。そのため、従来の調べ方案内書では、URL がてんこ盛りでリストアップされるのが常だった。

　しかし本書ではあまり URL を記載しない。理由は前著にも書いたが、URL をブラウザ（閲覧ソフト）に直打ちするのは廃れた習慣だからだ。本書でネット情報源が紹介されていたら、その名称でググればよい。だから（!?）グーグルの URL も本書には記載しない。

国会図書館の「人文リンク集」→ツールが「ない」ことがわかる

　そうは言っても、グーグル以外の検索サイトを知らない人も多かろう。私自身、グーグル以外の検索サイトで自分のブラウザにブックマークしているものはそう多くない。そもそも面倒だし。

　というのも、代行してリンク集を作ってくれている機関があるからである。広い分野（科学系を除く）の重要なネット情報源を集めたリンク集を国会図書館（NDL）のレファレンス担当がメンテして次の場所（URL）で公開している。それを見ればよいのだ。これについては前著でまるまる一章さいて説明した。

　・人文リンク集

　（https://ndlsearch.ndl.go.jp/rnavi/humanities/humanitieslinks）

　直前に URL を記載しないと言っておいて、いきなり細かい URL がでてきてビックリしただろうか。つまり、無名だが重要なネット情報源は URL を記載するが、グーグルなど有名だったり、それこそ人文リンク集に記載されているものは URL を記載しない、というわけだ。

　この NDL 人文リンク集の利点は、その時その時で実際に「使える」ネッ

ト情報源だけがリンクされていることである。ネット情報源は公的なもので
でも、いきなり使えなくなったりする。現に使える情報源のリンク集であ
り続ける、これは意外と他にないものなのだ。

　また標準分類である日本十進分類法（NDC）順にリンクされているの
で〈どの知識分野にネット情報源が「ない」か〉がわかるのもよい（「あ
る」かではない）。なければ即座に電車賃をかけてでも紙メディアのツー
ルを使いに行く決断ができる。標準分類順であることで、ツールもすべて
が種類ごとに排列されており、ツールの名前を個々に憶え込む必要もない
し、ましてや URL の直打ちなど不要となる。

　大規模なツールへのリンクは前記の公的機関に一任するとして、それで
もなお、ツールの改廃に立ち会った際にどのように考えて対応すればよい
かをここで述べておく。

「データは長し、しかしてシステムは短し」——ネット情報源の興亡

　ネットで調べものをしていると、いつも「技芸は長く人生は短し」とい
う格言を思い出す。特に使い慣れたネット情報源が突然消えた場合にだ。
もとは古代ギリシアの医聖ヒポクラテスの言葉で、技術や学問は大成する
のに長い年月が要るし、続きもするが、人の一生はそれに比べて短い（だ
から励め）、ということらしい。私はこれを「データは長し、しかしてシ
ステムは短し」と読み替えてツールの興亡を理解している。

　どういうことかというと、大規模なネット情報源の場合、たいていデー
タは紙メディア時代から引き継いだものであるからだ。

データは転生する

　例えば戦前図書の書誌データは、実はそのまま図書のメタデータ（デー

15

タを説明するデータ）として現在のOPAC（オンラインの蔵書目録）に入力されて生きている。ただ、その媒体やシステムが違うだけだ。

【図 0-1】データの異世界転生①
　　　　──紙カード

【図 0-2】データの異世界転生②
　　　　──個人電算機

　最近（2024年1月）、国会図書館の蔵書目録（NDLオンライン）と都道府県立図書館の総合目録（NDLサーチ）が統合され、新「NDLサーチ」となったが（本書第3講）、戦前図書のデータは、実は帝国図書館の目録係が紙のカード【図0-1】に万年筆で書いたものが元なのだ。それを1960年代にNDLが冊子目録に印刷し、さらに1980年代からの遡及入力担当が入力シートに鉛筆で書き、「パンチャーさん」（入力要員）が16段シフトキーで（かな漢字変換をせずに！）大型計算機に入力したものなのである。

ネット情報源はいきなり消える

　「情報化社会」と言われ続けて、はや半世紀。いつまでたっても紙から電算機への「過渡期」だなぁメンドクサと思いつつ、少なくとも大規模なネット情報源については、紙時代から変わらないことがある。それは前記

の帝国図書館員が創ったメタデータのように、データは紙時代から実はあり、入れる容れ物や出口はグルグル変わるが、中身はあまり変わらない、ということだ。

　例えば「写録宝夢巣」という「姓名分布＆ランキング」サイトがあった（正確には「姓氏」「苗字」のデータベース）。このサイトを知ったのは 2010 年以前だったから、14 年以上、無償で使い続けていたネット情報源である。長いこと当然のようにあったものだから、先月（2024 年 3 月）末に閉鎖されて驚いた。これが紙のツールならいきなり消えることはない。

ツールは種類で憶え、そして使う

　しかし、そんなには慌てる必要はない。というのも、まずは前記、NDL 人文リンク集で「姓氏」にあたる項目を参照する。すると、「名字マップ（立命館大学）」というサイトがあるとわかる。それをネットで見ると「電話帳や住宅地図の表札名の約 4000 万件のデータを、都道府県ごとに集計し、地図化」と凡例があるので、ほぼ「写録宝夢巣」と同じ結果を得られそうだとわかる。ツールは個々を憶え込むのでなく、種類やデータのスジで憶えると、その興亡にも対応できるというわけだ。

　人文リンク集を使わずとも、例えば SNS で無くなったツール名を検索すると、類似や後継ツールについての情報が得られたりする【図 0-3】。

【図 0-3】「SNS で代替物探索法」事例

だの
@Dhanow

写録宝夢巣の後継はこれが有力　地図は出ないけど自治体まで分布がわかるnamaeranking.com

午後9:05・2024年4月2日・**1,052** 件の表示

（https://twitter.com/Dhanow/status/1775132501977292834）

気をつけてほしいこと──「呪文」を考えながら読む

　しつこいが、本書は、「○○を調べるには、××と△△のツールで、□□っぽく検索するとよいよ」という章の繰り返しだ。言い方を換えれば事例研究のようなもの。というのも、汎用性の強い（＝何にでも使える）ツールは、使い方を例示しないと（＝実際に何かに使ってみないと）、使い方も説明できないからだ。

　気をつけてほしいのは、単に面白い事例だね、ということだけでなく、自分だったら違うやり方をするがな、とか、あの事例ではどうだろうと考えながら読むことだ。また、自分であとでマネできるように、技法（チップス）の名を勝手に考えながら読むのもいいだろう。例えば前述の、「写録宝夢巣」の代替データベース（DB）を探したエピソードを、「リンク集同類チェック法」とか「SNSで代替物探索法」などというテキトーな言葉で心に留めておくのだ。そうすれば将来、ある朝、自分の常用DBが忽然と消えた際に、SNSを常用DB名と「代替」「後継」といったキーワードで検索できるようになるだろう。

　前著最終章「同じ魔法が使えるようになるために」で、私はこんなことを言った。

　　　実はレファレンス・チップスも、ファンタジーもののお話での呪文の詠唱に近い。実行すべき一連の動作が、特定のタイトルのもとに思い出されて、なかば自動的に作業できるようになる。

　実は、才能あるエクセレントな研究者はツールがなくても、技法が書かれていなくても無詠唱魔法が使える。しかし我々のような普通人でも、詠唱魔法でだいたい同じことができるようになるはずなのです。

本書で使う言葉について

本書でよく使う言葉やその略称について少し解説しておく。

「レファレンス」と「リサーチ」

本書はちょっとした調べ、つまり参照作業（レファレンス・ワーク）の
ノウハウ集として編まれた。ガチな調べ、というのはそもそもレファレン
スではなくリサーチ（研究・調査）と言われるもので、似ているが違う事
柄と考えるべきだろう。リサーチをするには大量にレファレンスも行うが、
ではレファレンスを大量にすれば自動的にリサーチになるかというと、そ
れだけでは足りない。それこそ、「体系」やら「方法論」やら全体を統合
していく原理が別に必要だ。『リサーチの技法』といった本がある。

国立図書館

明治初めの文部省「書籍館」から戦前の帝国図書館、戦後の国会図書館
までの、「ナショナル・ライブラリー」をひっくるめて、専門用語で「国
立図書館」と呼ぶことがある。国を代表する図書館で、法律で国内の出版
図書が全部納本されることになっている。戦後は文部省附属の国立図書館
が国会附属の国立国会図書館に併合されて、国会附属の図書館が「国立図
書館」の役割を兼ねている。

NDL（エヌディーエル）

著者がもといた日本の国立図書館のことである。正式名称は「国立国会
図書館」といい、やや長い。ふつうは「国会図書館」というが、それでも
なお四角い漢字が並んでいて、頻出させると字面がゴチャゴチャして読
みづらい。「旧国立国会図書館サーチと旧国立国会図書館オンラインが統
合されて新国立国会図書館サーチになりましたとさ」と書くよりも「旧
NDLサーチと旧NDLオンラインが統合されて新NDLサーチに」と書い
たほうが数倍読みやすいだろう。

そこで図書館業界で使われる、National Diet Libraryの頭文字、NDLを
本書では使った。Dietは痩身法とまったく同じ綴りだが、北欧の議会をこ
んな英語で言うらしい。

本書で頻出するのは、レファレンスの情報資源——それは紙メディアもネット情報源も——を日本でいちばん豊富に持っているからだ。

ネット情報源（internet information resource）

インターネット上にある各種情報源のこと。ほぼオンラインのデータベースのことだが、他にもエクセル表など表形式のデータ、HTML文による年表などのリストも入る。場合によっては、掲示板やブログの記事自体も含まれる。NDL人文リンク集に契約しなくても使える無料のネット情報源が多くリンクされている。

DB（ディービーまたはデータベース）

データベース（database）のこと。データの基地だ。昔は特殊なパソコン通信やCD-ROMなどで提供されていたが、現在、ほとんどがネット情報源となっている。

NDC（エヌディーシー）

日本十進分類法（Nippon Decimal Classification）のこと。日本国内の図書館で事実上、標準的に使われている図書分類。あらゆる知識を9つの区分肢に便宜的に分け、1から9までの記号で表現し、細かい知識は下位レベルへケタを増やして記号を形成しており、どんな内容の本にでも分類記号が割り振られることになっている。1から9までの区分肢に当てはまらない知識や図書は0に割り当てる。普通の図書館では本の背表紙ラベルの最上段に表示され、その数字の順番に本は配架されている。来館者は書架の前をぶらぶらするだけで、意識せずに分類を利用して本探しをしていることになる。

件名

本1冊の主題全体を表すキーワードを図書館界でこう呼ぶ。英語でsubjectで、メールのタイトル欄「件名」と意味は同じ。「○○について」の「○○」にあたる言葉。違う本でも同じ主題なら同じ表現形になるように調整し、司書がつける特殊なキーワードだが、日本でまじめに件名を付与している図書館はほとんどないので、司書もあまり使っていないのが残念。

第1講
NDLデジタルコレクションは国会図書館のDXである

150年前に日本に出現したライブラリー

　「本書の使い方」で、本書はどこから読んでもよいと言った。けれど、最初の一章だけ、ちょっと概説的な話をしようと思う。

　というのも前著『調べる技術』を出した直後に日本の調べものの歴史でほぼ150年ぶりに事態が大きく動いたからだ。そのことの重要さを述べて、本書の最初の章にしたい。

　150年前、調べもので重要な何があったかというと、国会図書館（NDL）の前身、帝国図書館の淵源たる日本最初の図書館「書籍館」が設置されたのだ（1872年）。文献を持ち寄って誰でも見られる場所、ライブラリー（ビブリオテーキ）というものが欧米の大都市に必ずあると、福沢諭吉が『西洋事情』（1866年）で紹介してから6年後のことだった。

【図1-1】帝国図書館尋常閲覧室に集う利用者（大正期）

みんなの家の隣に帝国図書館が建った

それからほぼ150年。私の前著が出た2週間後、2022年12月に事態が劇的に変わった。ネットで古い本が大量に見られるようになったのである。NDLのデジタルコレクション（略称、デジコレ）の公開拡大がそれ。対談で読書猿さん（26万部のベストセラー『独学大全』の著者）に私は力説した。「要するに帝国図書館が自宅の隣に建ったんですよ」と。

私の自宅だけでなく、これを読んでいる各人、あなたの家の隣にも建ったのが2022年末のこと。ただし建ったと言っても、これはヴァーチャル（仮想）世界のこと。ネットを介した隣だったので、建ったことに気づかない人もまだ大勢いるはずだ。

けれど、このことに気づけばその人の「調べる技術」は格段に向上する。なんといっても、過去150年にわたり蓄積された本がネットを介して閲覧できるようになったのだ。

ネットへのNDLデジコレ公開拡大がなぜ、家の隣に帝国図書館が建ったことになるのか、また、それはどんな意義があるのか、それをここで説明しようと思う。

150年分の本が貯まっているNDL

いまNDLには書籍、雑誌、新聞、DVDなど、一切合切あわせて、約4700万点の資料がある。日本で「大型」図書館というとおおむね100万冊の本を持っているので、だいたい47都道府県立図書館全部をあわせたぐらいの量の本がNDLにあることになる。

【表1-1】として、NDLの時代別蔵書構成表を作ってみた。いまNDLには約100万冊の戦前図書、約1000万冊の戦後図書がある。戦前、帝国図書館の歴史がほぼ76年、戦後のNDLがほぼ76年なので、単純計算だと戦後は戦前の10倍のペースで本が出たことになる。

　私が2022年12月に帝国図書館が隣に建ったと騒いだのは、このうち戦前本（表の戦前本アミかけ部）がほぼ家で見られるようになったからだった。

【表 1-1】NDL 時代別蔵書構成表[注1]（万冊[*]）

	帝国図書館時代 （戦前本）	国会図書館時代 （戦後本）	NDL 合計 （2022 年）
図書	105 万冊	1107 万冊	1211 万冊
雑誌	6 万冊	1339 万冊	1345 万冊
新聞	1 万冊	689 万冊	690 万冊
その他 **	—	1438 万冊	1438 万冊
合計	112 万冊	4573 万冊	4685 万冊

* 元の統計での「点」は「冊」とした。雑誌も新聞も「点」の多くはおそらく合冊製本済みの冊数。号数でいうと1合冊に数号から数十号分が合冊される。また千の位で四捨五入したので図書の NDL 合計が1万冊ズレている。
**ほとんどがマイクロフィルム（新聞や図書の複製）やレコード

NDL デジタルコレクションの実用化

　デジコレとは「電子図書館」のこと。Google ブックスの日本版と言ってもよい。Google ブックスは北アメリカの大学蔵書を大規模にデジタル化したものだが（日本の本もある。前著第9講）、NDL のデジコレは、150年間でたまった NDL の蔵書を古い方から順番にデジタル化していくものである。
　デジコレは、もともと「近代デジタルライブラリー」（略称、近デジ）として、マイクロフィルムからの劣化画像でほそぼそとデジタル化・ネット公開していたものを「もう一括で全部、家から見られるようにしようよ」という大計画に仕立て直したもの。数代前の NDL 館長、元京大総長で情報工学の大家だった長尾真が立てた計画で「長尾ビジョン」と呼ばれた。そして護衛艦1隻分の予算120億円ほどをゲットして実行に移された。特に、電車賃程度の使用料を閲覧者から集めて著作権処理に使い、家からなんでも閲覧できるように、というのが構想のキモだった。

撮影は大規模にできたのだが、問題はその後、一向に館外から閲覧できる
ものが増えなかったこと。これは著作権処理が進まなかったからである。そこ
へ降って湧いたのがコロナ禍だった。それまで黙々とNDLへ通ってきていた
大学院生やライター、編集者などが困った。本当に困って、そして声をあげた。
その声は議員先生たちを動かしたので、一気に著作権法改正への道が開け
た。それで2022年末からネットの公開範囲が格段に拡大されたのだった。

順次、撮影が進み公開範囲も広くなる（はず）

　デジタル化は二段階で進む。まず写真撮影によるイメージ化。次に
OCR（Optical Character Recognition/Reader、光学的文字認識）による文字
起こし（フルテキスト化）。2022年までそこそこ画像公開はあったのに、
OCRの変換率が悪かったため、NDLデジコレは実用性に欠けていた。「書
物に索引を付けない奴は死刑にせよ」（伝バーナード・ショー）などと言
われてきたが、2022年末からその索引にあたるものが過去の100万冊以
上の本に一斉に付きはじめているわけである。そしてさらに長尾ビジョン
の延長でネット公開が進んでいく。
　NDLはデジタル化を、概ね古いほうから新しい方へ、また情報粒度の
大きい方から小さい方への順番で進めている。【表1-1】でいうと左上から
右下へという順番だ（表の網掛け部分が先行している）。戦前本から戦後
本へ、図書から雑誌へという順である。
　帝国図書館本から始まって、2023年12月末で、図書167万冊、雑誌
137万冊がデジタル化済みとのこと[注2]。そのうちそれぞれ116万冊、84万
冊が、公開及び個人送信で家から見られるようになっている。【表1-1】で
いうと、戦前の図書と雑誌はほぼネットで読めるようになってきており、
戦後も図書は1960年代末まで、雑誌は2000年刊行分までデジタル化（と
フルテキスト化）が進行中で徐々に拡大中ということになる。何年先にな
るかわからないが、新聞記事まで見られるようになれば、本当にさまざま

な調べものができるようになるだろう。

質の問題──駄本、悪書、ハウツー本、雑誌、新聞

　さきほど、量としては都道府県立をあわせた冊数がNDLにあると言ったが、実は質が全然違う。というか重なる部分もあるにはあるのだが、それは良書やまともな本、まじめな本であって、残り部分が全然違うのである。では残りとは何か？

　悪書（エロ本など）、トンデモない本、不まじめな本（マンガなど）ということになる。こういった本はほとんどの場合、選書ではじかれるので普通の図書館に残らない。けれど、こういったものも「包括的」に保存するのが国立図書館ということになっている。

　悪書のたぐいだけでなく、実用書やハウツー本なども、「一過性の価値だけを持つ」とされて、図書館では何年かすると除籍される（本書もハウツー本の一種ではある）。また雑誌や新聞紙も一過性とみなされ、何年か保存された後に廃棄される。一方でNDLでは新聞紙も製本され、「本」になって永久保存されてきた。

　さらに図書館界では、紙でない資料が「ノン・ブック」「非図書」と呼ばれたが、これに該当するマイクロフィルム、レコード、DVDなども残りの一種である。

　「悪書」や「トンデモ本」という表現はやや穏当でないので、本書では、雑誌や新聞も含め、その一過的な価値から一括して「実用書」と呼んでおく。

　選書をしない図書館としてNDLには、良書のみならず、実用書なども広く収蔵されて

【図1-2】実用書：金儲け法、猫の飼い方、こういったものがふつう保存されない

きた。雑誌や新聞も、業界紙や競馬新聞、大衆娯楽誌にいたるまで集められてきた。その集積がNDLの蔵書だ。それを今まで、学者やマニア、ジャーナリスト、ライター、一部の篤志家、在野研究者などが閲覧しに永田町の国会図書館へ通っていたわけである。それがいま全部電子化されつつあるわけだ。NDLコレクションに大量に含まれる実用書をどのように使うか、それがデジコレを使う調べものでキーポイントになるだろう。

国会図書館のデジタル・トランスフォーメーション

なんだかNDLデジコレの宣伝文みたいになってしまったが、そうでないのは、デジコレ閲覧申請法など、手続き的なことはまったく説明していないことからわかるだろう（そういったものはググって組織のHPを見ること）。ネット情報源は（紙のレファレンス本も同様なのだが）種類や系統で憶える、グループで憶える、これが調べもののノウハウだと前著で繰り返しているが、特に重要なものについては個別にその歴史的位置づけを知っておいたほうがよい。

世間ではデジタル・トランスフォーメーション（DX）なる言葉が流行りだ。ただの「機械化」、ただの「資料保存」に終わらない国立図書館のDXが長尾ビジョンであり、NDLデジコレに期待される機能なのだろう。OCRなしのただの紙芝居、ネットで閲覧できないただの館内限定では、本来のDXではない。リアルな国会図書館はデジタル化されていないここ20年の新刊を閲覧しに行く場所として機能を縮小していくのではなかろうか。

本書では第4講と5講で、何にでも使えるが何に使っていいのか現段階ではわかりづらいデジコレの用例を示すことになる。

注1 NDL時代別蔵書構成表は、NDLのHPにある2022年度現在値と、帝国（国立）図書館最末期（1948年4月末）現在値（加藤宗厚『図書館関係論文集：喜寿記念』加藤宗厚先生喜寿記念会、日本図書館協会、1971、p.509）を併せて創った。
注2 NDLのHP「資料デジタル化について」
https://www.ndl.go.jp/jp/preservation/digitization/index.html（2024.4.9閲覧）

第2講
国会図書館にない本を探す法
——古書販売サイトを使う

全部あるはずなのに全部はないNDL

　前の第1講で、国会図書館（NDL）には下る本（良書）からくだらない本（悪書、娯楽本）までなんでもあるぐらいのことを吹いた。実際、国会図書館にはなんでもあるとよく言われる。しかし、実際に使ってみればわかるが、「なんでもあるが、なんでもはない」。

　どういうことかというと「包括的」な収集と前講で書いたのがキーワードになっている。要するに良書、悪書の区別をつけず、すべての知識ジャンルを1冊は集める、というのが「包括的」ということなのだが、本来の意味で「全部」という結果が担保されるわけではない。時代やジャンルによって、納入率（納本率、収集率ともいう）には違いが大アリだからだ。広く網をかけるが網目が大きめなのでモレがでているというべきか。

　本講では前半で網羅的納本からどのような本がもれるかを説明し、後半でそれらを入手するにはどうすればよいか、主に古書としてどう入手するかを説明する。

「これは本じゃない」——納本制度からの排除

　カレンダーでも絵葉書でも何でも図書館資料だ、と思ってきた自分が現場にいる時、たまに聞いた、あまり嬉しくないフレーズに「これは本じゃない」というものがあった。

【図2-1】『昭和3年新文芸日記』（新潮社、1927）

たとえば『文芸年鑑』。これは小説、詩歌などの年度ごとの趨勢をまとめ、さらに作家名簿などを載せる年鑑で調べものによく使われるもので、新潮社版は昭和4年版からある。しかし調べもの相談窓口には必ず、「その前の版はないか」という質問がくる。

前著『調べる技術』でレファレンス司書は自分の知らないことしか聞かれないと書いた。ちょっとそれに似ているが、カード目録がOPACに置き換わって以来、所蔵調査というと国会図書館にない本のことばかり聞かれるようになった。

文芸年鑑が出る前の年鑑もどきとして紹介するのが、日記帳。新潮社は年鑑を出す前から文芸日記を出していて、年鑑的な情報が載っている【図2-1】（1916年刊の『文章日記』かららしい）。ところが日記帳はNDLにない。日記帳は納本の対象から外れているからだ。元から集めないことになっている冊子は、本であっても本でないことになってしまう。手帳なども同様だ。

納本モレ――ただのウッカリさん？

納本されているべきなのに、なぜだかない本を以前、NDLの館内用語で「未収本」と言った。「納本モレ」ともいう。

市販本はたいてい2つの書籍取次会社（日販、トーハン）が半年交代で納本してくれるのだが、以前はその切り替わり時に連携ミスで納本モレが発生すると言われていた。

国立国会図書館法という法律では、出版社（個人出版の場合は「出版者」）

に永田町のNDLまで本を持って行く義務があるのだが（著者にその義務はない）、出版社の場合、取次が代行してくれるのでこういった納本モレも発生する。

　また、主義からか無知からか納本しない出版社もある。私も個人で同人誌を何冊かコミックマーケットで頒布したけれど、一部分が未納本なのは、これはただの怠けだったりもする（個人出版だと郵送か持参しなければならない）。官公庁出版物は商業流通しにくいのでNDLは独自に集めているが、それでも納本モレは出る。

　要するに制度から外れる冊子がある、制度内でも納本モレが出る、ということで、結構、NDLにない本がある。どんなタイプの印刷物が「ない」かは広報誌『国立国会図書館月報』に「国会図書館にない本」という断続連載があったのでそちらを見るとよい。今までに、戦前・占領期の雑誌、明治前期の手紙作法本、戦前の全集月報、村立図書館の蔵書目録、特価本販売目録などが取り上げられている。総じて流通に乗らない非売品や自費出版の納入率が低くなる。

「総合目録」というものがあるけれど

　ただし、一国民、一利用者から見れば、中の人の理屈はわからなくてもOKだ。なんらかの形でゲットできればそれでよい。ではその方法は何か、ということになる。

　まずはNDL以外で持っている図書館を探せばよい。各種図書館の横断検索をするには、図書館用語でいう「総合目録」を検索することになるが、これは2024年1月から新しいNDLサーチの機能で実現されているので、本書第3講を見られたい。

　ただ、幸いにどこかの図書館で持っていたとしても、珍しいものは新幹線で何万円もかけて行かないといけない場所であることが多かった。図書館の利用はタダ、というのは交通費を除外してのことでしかない。だからこそNDLデジコレの「長尾ビジョン」は、特に地方在住者に国立としてサービスするために、「電車賃程度で著作権処理」という構想だったのだ。

例えば、あるリャク屋の伝記

【図2-2】『女掠屋リキさん伝』

　以前、総会屋雑誌と称するものの歴史を調べていた時に、総会屋自体の歴史も調べたことがある。総会屋とは株主総会で会社を脅してお金を取る人。たいてい隠れ蓑として薄い業界紙誌を出していた。1982年の商法改正で絶滅したが、戦前からあった職業である。

　多くは右翼系なのだが「左翼系もいたよ、その伝記もある」と友人に教えられたのが次の本【図2-2】。

　　・水田ふう、向井孝『女掠屋リキさん伝』「黒」発行所、2006

　「掠屋」というのは大企業からお金をせしめる職業をアナキスト的に表現するものらしい。アナキズムの基本書、クロポトキン『パンの略取』から来ているという。

　さっそくこの本を読みたいと思ったが、「国会図書館にない本」だった。総会屋の伝記というと、久保祐三郎『総会屋五十年』（評論新聞社、1965）が有名で、NDLにある。しかし、この『総会屋五十年』はじっくり読みたいと思って古本で入手した。『リキさん伝』は2006年刊だが、ネットを見ると品切れらしい。そこでこちらも古本で入手した。なかなかオモシロい本だった。

我々には古本があるじゃないか

　古い本はNDLデジコレが頼りなのに、納本モレでは困るじゃないか、どうすればいいのか、とつい思ってしまうが、簡単である。古本で買えばよいのだ。

　以前、戦前の人文系や在野の研究者たちがどのように文献を入手していたのかざっと調べたことがあったが、かなりの研究者が古本屋を利用していた。それはおそらく帝国大学に所属していなかったり、首都圏在住でな

かったりしていた人ほどそうだったろう。

　総合目録のデータを見ると『リキさん伝』は三重県立図書館（被伝者・安田理貴の地元）、同志社大学図書館にあると出るが、私は首都圏在住なので新幹線代がバカにならない。古本屋にあれば地方でも郵送料金込みで新幹線代よりずっと安い。

古本の指定買い

　インターネットが普及する以前の世界では、古本の指定買いはほぼできなかった。正確には1冊数千円以上の高めの本ならば、冊子の販売カタログ（古書目録）に載り、そこから買うことはできたが、1冊、数百円から千円レベルの安い本はそもそも古書目録に載らなかったのだ。神保町や早稲田の古書店街を流して歩いたり、地元の古本屋でたまたま手にしたりしなければ買えないのが安い古本だったのだ。それがネット商取引の普及で劇的に変わった。安い古本でも、指定買いができるようになったのだ。

　ここで「指定買い」というのは造語だが、「指定文献」という用語がNDLの対国会部門にあって、要するに先方がうろ憶えでも特定のタイトルや著者を指定して複写や貸出を注文してくるもの。図書館情報学でいう「既知文献」にあたり、ネットが出来て初めて、安めの既知文献を古本で買うことができるようになったのである（新刊ならネット以前の世界でも指定して買えた）。

古本販売サイト

　古本をネットで買う場合、2つのパターンがある。ひとつは古書販売サイトで買うやり方。もう一つはオークションサイトで落札する方法だ。ヤフオクであれメルカリであれ、オークションは慣れが必要なので、古本を買う場合、最初は古書販売サイトで買うのがいいだろう。

　とりあえず、NDL人文リンク集の、販売目録の項目を見ると、「国内＞古書」のサブ項目に3つのサイトがリンクされている【図2-3】。

【図2-3】NDL 人文リンク集 > 販売目録 > 国内 > 古書
(https://ndlsearch.ndl.go.jp/rnavi/humanities/link_tradecatalogs)

私はいちばん登録数の多そうな「日本の古本屋」から引くことにしている。残りは「日本の古本屋」でノーヒットだった場合に検索をかけていく。

あとはリンクに明示されていないが、アマゾンのマケプレ（マーケット・プレイス）機能を使う。アマゾンの当該書誌をうまく引当てられれば、そこに独立系古本屋や個人が古本を出品していることがある（残念ながら『リキさん伝』はアマゾンに書誌が登録されていなかった）。出品業者が独自にデータを作ることもできるというが、データの幅、豊富さについては「日本の古本屋」のほうが上だと思う。いま「日本の古本屋」を検索するとノーヒットで、ググると過去デー

【図2-4】「日本の古本屋」過去データ

タが残してあるのが表示される【図2-4】。私は2020年に2000円ちょっとで北海道の古本屋から購入した。それからアマゾンで1回、中央線沿線の古本屋で1回見たことがあるので、待てば出るたぐいの本である。

「日本の古本屋」のチップス──類書を探す

　ちなみに「日本の古本屋」には事前にキーワードを登録して出品されたら知らせてくれるアラート機能がない。私はグーグルのアラート機能を使って、間接的にお知らせを受けることにしている。

　古本の指定買いはネットでやりやすくなったが、店頭のように隣に並んでいる関連図書をブラウジングして見つける、といったことはしづらい。そこで試しているのが次の技法である。

　何か欲しいものを買う際に、出品図書と同じ古書店で「書店内検索」できる機能があるので、それを試してみるのだ。たとえばプラモデルの総合雑誌『ホビージャパン』で検索してみると、「りら書店」「春日書店」といった店舗が出品しているのがわかる【図2-5】。そこで、春日書店のページを出して「書店内検索」に適宜のキーワード、たとえば「モデル」を入れて検索すると、同種の模型雑誌『モデルアート』や自動車雑誌『Car Graphic』『モーターファン』などの出品が表示される【図2-6】。

　また、専門古書店がわかっていれば、先に「古本屋を探す」といった機能を使って古本屋データを見つけ、その書店のページを表示させると「書店内検索」という検索窓が出る。そこから自分なりの関連語で検索すると、関連図書が広く出てくるわけである。

　もちろん首都圏在住であれば神保町や高円寺などにある古書会館で週末に開催される古書展に行ってみるのもよいだろう。

【図 2-5】「日本の古本屋」を『ホビージャパン』で検索した結果

【図 2-6】春日書店のページでキーワード「モデル」で書店内検索

（おまけ）古い新聞・雑誌は古本でも難しい

　しかし古本でゲットしやすいのは、いわゆる図書（単行本）が多い。古い雑誌や新聞紙、とくに戦前のものを古本でゲットするのはマニアでもなかなか難しい。というのも、古本の供給源は結局、個人か図書館で、そのどちらでも狭義の本しかなく、つまり単行本以外の雑誌や新聞紙はあまり保存されてこなかったからだ。

　そこで雑誌や新聞紙はNDLになければ古本で、という戦略が取りづらい。結局、NDL以外での所蔵を丹念に探すということになる。新聞はとりあえず、NDLサーチと、NDLリサーチ・ナビ内「新聞の所蔵機関を調べるには」というパスファインダー（図書館の調べ方案内）を参照するといい。NDLのパスファインダーの見つけ方は、前著第13講で述べたが、グーグルで「（トピック語）　調べ方」と検索すれば上位に出てくる。

　雑誌については人文リンク集の「蔵書目録＞国内＞総合目録に未収録の資料（おもに戦前期和雑誌）」以下のリンク【図2-7】を参照することになる。マンガ雑誌については「マンガ＞蔵書目録・書誌・索引」、文芸同人誌については「日本文学＞蔵書目録＞全般」といったあたりもチェックすること。

　本書第1講の【表1-1】は同じ76年間の戦前分に対し戦後分が、図書で10倍でしかないのに、雑誌が223倍、新聞が689倍になっている。これは雑誌、新聞の戦後増加率が図書の20倍、70倍なのではなく、戦前分の雑誌、新聞の収集率が悪すぎるからだ（戦前図書に関しては体感で5割から7割くらいは保存されている）。

　理由は納本で集まった雑誌、新聞が戦前の帝国図書館に内務省から移管されず、図書館独自に集めたため極端に収集率が低かったためである。ある研究では雑誌の収集率は1939年段階で全雑誌の6%でしかなかったと試算されている。つまり94%の戦前雑誌が保存されなかった可能性が高い。あまりに失われすぎたため、これに気づかれたのが戦後44年たってからというのも驚きである。

【図 2-7】NDL 人文リンク集 > 蔵書目録 > 国内 > 総合目録に未収録の資料（おもに戦前期和雑誌）
(https://ndlsearch.ndl.go.jp/rnavi/humanities/link_opac)

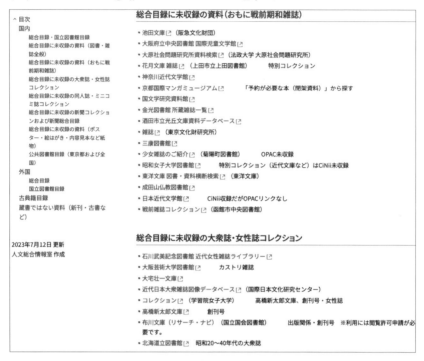

古本をネットで買う際の注意
ここ数年、詐欺サイトが横行

　数年前から、ヤフオクなどに出たレアな本のデータを丸パクリして、半値以下の安値を付けて売ると称するサイトが出没し始めた。注意してほしい。リアル古書店の店頭均一台ならともかく、古本といった目利きが必要な世界で、初心者が相場の半値以下で買うなんてことはふつうできないのだから。

　けれど、自分だけが探していそうなレア文献がひっかかるとあまりの嬉しさに相当な古本猛者でもひっかかりそうになる。「日本の古本屋」など、NDL 人文リンク集に載っているような手堅い古本販売サイトで買うことをオススメする。

第3講
リニューアルされたNDLサーチを使ってみる
──蔵書目録と総合目録をプラス

要するに国会と全国の蔵書データを合わせたシステム

　1月1日に能登半島地震、翌日羽田空港で旅客機炎上と、2024年は年始から驚いたが、うっかり1月5日に国会図書館（NDL）のNDLサーチがリニューアルするのを忘れていて、やっぱり驚いた。

　ネットでもけっこう驚いている向きがあったので、無関係な私が説明するのもいいかもしれないと思った。というのも、NDLはお役所の一種でもあるので（本当は国立図書館）、「正しすぎる」言い方をしてしまう結果、ふつうの人によくわからない説明をしてしまう傾向があるからだ。

　新しいNDLサーチは、NDLという巨大図書館の蔵書検索システム（旧NDLオンライン）と、都道府県立図書館47館の「総合目録」（旧NDLサーチ）を合わせたものなのだ、歴史的には。それに旧NDLサーチにおまけで付いたCiNiiブックスや、別にあったリサーチ・ナビなども一緒に引けるようになっている。さらにおまけでNDLデジコレの全文検索も自動でしてくれる。

【図3-1】新NDLサーチ

もともと 2 つの違うシステムだったのは、目的が異なるシステムだったからで、異なるものを一緒にしたのを「便利」と捉えるか「不便」と捉えるかは難しいところだ。ただ、多機能になってゴチャゴチャせざるを得なくなった分、最大限、デザインでカバーをしているように見える。

　しかし、私だったら、これを使う場合その来歴を考えて、次の 3 つの目的を意識しながら使う。

　　a. 全国図書館の総合目録として（旧 NDL サーチの機能）
　　b. 国会図書館の蔵書目録として（旧 NDL オンラインの機能）
　　c. 全国書誌の主題索引として（「見たことも聞いたこともない本を探す」
　　　　機能 = 旧 NDL オンラインの機能の一部）

　前記 3 つの目的以外にも、

　　d.API を通じて書誌データをもらって自分のソフトで活用する
　　　　（旧 NDL サーチの機能）

があるのだが、これは普通の探索者には無縁なのでここでは扱わない。

　本講では、a、b、c の順で NDL サーチの使い方を見ていくが、特に c の部分をくわしく説明したい。というのも、真の調べものというのは、既知文献ではなく「見たことも聞いたこともない本を探す」ところから始まるからだ。まず、a や b として NDL サーチを使う分にはさほど難しくないので先に説明する。

a. 総合目録として（使う）

　レア資料——主に単行本——を探す場合に従来、みなが参照してきたのが「総合目録」、略して「総目（そうもく）」と日本の図書館業界で言われ

てきたもので、本当の名前は「union catalog」、つまり、「連合」目録と訳すべきだったカタログである。多数の図書館が相互に所蔵データを出し合い、1箇所で検索できるようにしたものが総合目録で、これはつまり、レア資料が、日本中ないし世界中でどこにあるかを知るためのツールだった。ふつうの本なら何もこのようなものを検索する必要はない。例えば岩波新書あたりなら、近場の図書館の新書コーナーに並んでいる（はずである）。

　だから、この目録に出たからといって、すぐに使えるというものでは元々ない。基本的に所蔵館を見つける機能しかないので、所蔵館が判ったら、その図書館へ行って個別に苦労するという段取りになる。

　総目としてNDLサーチを使うにはどうすればいいか？　——何もしなければよい。最初の初期画面の（総合）検索ボックスに、タイトル、著者名などキーワードをぶち込んで検索すれば、あとはサーチが自動で、全国どこかの図書館に該当するものはないか、NDLにないか探してくれる。タイトルも著者名も固有名なので、ノイズも多くはなりすぎないだろう。

　試しに、私が5年前に出したレア資料『ピンバイス40年史』という同人誌が、どこかの図書館に所蔵されていないか見てみよう（「ピンバイス」とは親がやっていた模型店の名前である　第8講参照）。

　実は最近『ピンバイス46年史』も出したので、ここでは広めに「ピンバイス」だけを検索語としてサーチに投げてみる。すると【図3-2】の結果を返してくれる。

　いっしょに無関係な『最新微小異物分析技術』『歯科医学大事典』といった本がヒットするのは、それぞれの本のデータにおまけで付いている目次データに「ピンバイス」という言葉が入っているからだ。ピンバイスとは、実はピンのようなドリルを付けて極小の穴を開けるのに使う工具のことなので、分析技術や歯科で使われるのだろう。

　【図3-2】の下に出るのだが、サーチはデジコレ全文と連動していて、自動的に同じ言葉がヒットした場合、最初の数例を表示してくれる（さらにおまけでNDLワープ——これは国会図書館でやっているお役所系アーカイブ——も引っかかれば出る）。役に立つこともあるだろう。

【図 3-2】NDL サーチを「ピンバイス」で検索した結果一覧

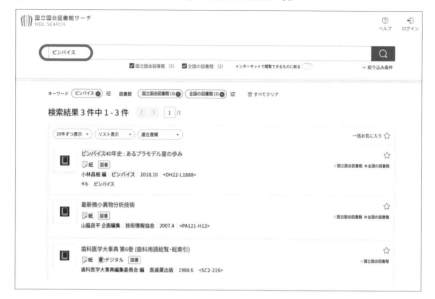

　だがここでは、あくまでレアな同人誌がどこにあるかを確認しておきたいので、さらに詳細画面を開いて確認する【図3-3】。

　すると、NDL 東京本館、NDL 関西館、神奈川県立川崎図書館にありそうなことがわかる。CiNii リサーチにも所蔵があると出る。これは図書館名でなくデータベース（DB）名なので、さらに「この本の所蔵を確認」をクリックして進んでみると【図3-4】のように、新しい別 DB の画面に切り替わる。これは CiNii リサーチという別組織の DB である。『ピンバイス 40 年史』が京都大学と一橋大学にあることが判る。

　なにやら屋上屋を架すようで分かりづらいが、最初に言った通り、ユニオンカタログというものは、総合的に「統合」しているわけではなくて、データを出し合って「連合」するものなので、このようなデータの連携ができていれば基本はよいのである。

【図3-3】『ピンバイス40年史』の詳細画面

【図3-4】 CiNii リサーチの『ピンバイス40年史』データ

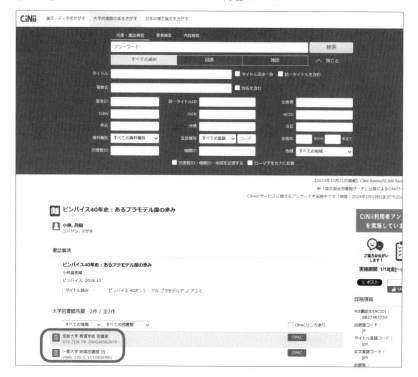

ログインするとさらにおまけ所蔵情報が出る

　以上はログインしないで出る基本機能らしいのだが、ユーザ ID を取ってログインすると、おまけでさらに所蔵情報を出してくれる。「よく利用する図書館」という一覧がそれだ【図3-5】。

　見ると、たしかに私がたまに使う図書館のデータが出てくる。これは旧 NDL サーチで私が登録した館が出ているようだ。ただ当面の問題として、明らかに所蔵があった NDL 東京本館、神奈川県立川崎図書館で「所蔵なし」と表示されてしまっている（2024年1月25日現在）。そのうち改善してほしい。

　「カーリル」は普通の人々にはまだ知られていないだろうが、大規模シ

【図 3-5】ログインすると「カーリル」データも参照される

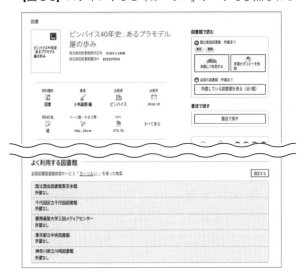

ステムを作れない中小図書館——特に学校や企業の——の所蔵データを参照できるシステムを開発しているので、単に貸出しのためだけに使うのはもったいない。特に最近できた「カーリルローカル」ではレア資料を拾うことができるので【図3-6】。

【図 3-6】カーリルローカルに出る『ピンバイス 40 年史』の所蔵先

旧 NDL サーチは都道府県立の総合目録、CiNii ブックスは大学図書館の総合目録が元なので、市町村立図書館、学校図書館、専門図書館（企業資料室）の総合目録はカーリルが乗り出してくるまでほぼなかったと言っていい。

b. 国会図書館の蔵書目録として（使う）

永田町（東京）なり精華町（京都）なりにある国会図書館へ行き本を読むため、NDL サーチを使うのが蔵書目録としての使い方である。旧 NDL オンラインの主な機能はこれであった。特に NDL の場合、ほとんど全部の本が書庫出納による閲覧なのが他の図書館と一番違うところだ。でも実はこの使い方がいちばん簡単。既知のタイトルや著者名で直感的に検索すればよい。ただし、最初の画面にもあるチェックボックス「全国の図書館」は外しておくのがよいだろう。

例えば戦前の出版社について知りたいと、1980 年代に国会図書館で閲覧した記憶をもとに『出版便覧 昭和 8 年版』（出版新聞社、1933）がないか検索してみる。

すると、【図 3-7】のような結果が出る。

上から 2 つ目が求めるものなので詳細画面に進んでみるが、普通の本なら表示される国会図書館の所蔵状況が表示されない。というか、「国立国会図書館：利用できる資料がありません」と表示される。

実はこれ、国会図書館における紛失図書なのだ。かつて目録を取る際にはあったが、現在、書架上の「定位置」に見当たらない場合、書誌データはあるのに見られないということがある。何ヶ月か探すのだがどうしても見つからない場合「紛失中」と認定されて見られない。NDL は全面「閉架」の図書館で、1990 年代まで研究者を書庫に入れたこともあったが、それ以降はないので、十中八九、本が紛失しているということはないが、まれにこういうことがある。

【図 3-7】NDL サーチを「出版便覧」で検索した結果一覧

　しかし、3、4 番目に表示される『出版社調査事典 昭和戦前期』（金沢文圃閣、2017）が『出版便覧 昭和 8 年版』の復刻なので、そちらを読むという手がありそうだと一覧表示から推測できる。検索語が自動で黄色で強調される機能が役立っている。

c. 全国書誌データを主題（分類、件名）で検索する

「見たことも聞いたこともない本を探す」ために検索する

　さて、本を本当に調べる際には、「見たことも聞いたこともない本」（未

知文献）を探すということをしないといけない。未知文献を探すには「分類」か「件名」で本を検索すればよいことになっていると前著『調べる技術』第5講に書いた。

NDLの蔵書目録は一見、国会附属図書館の本を検索するものに見えるが、実はその機能は一部で、国立図書館の「全国書誌（national bibliography）」を検索するものでもある。日本の場合、ふつうの国にはない「国立中央」かつ「国会附属」の図書館が1個あるきりなので、両者は常に混同され、話がややこしくなっている。〈NDLで本が紛失しても書誌データを削除してはならない〉のは、全国書誌としての機能上、必要だからである。本の実物がなくなっても日本でその本が出たという事実は登録しておかないといけない。それが全国書誌なのだ。

NDLサーチで「見たことも聞いたこともない本」を探すことは、専門的にいうと「全国書誌」を主題で検索するということである。主題で検索とは要するに「分類」や「件名」で検索することだ。

旧NDLオンラインでは（旧NDLサーチでも）、最初の検索画面に「分類」や「件名」の検索窓（検索欄）があったのだが、新NDLサーチでは両方の欄が初期画面から消えてしまっている【図3-1】。そこでどうするか。

まずは検索窓の右下「絞り込み条件」をクリックすると、画面が切り替わる。これが詳細検索である。検索窓が6つ出てくるが、肝心の「分類」や「件名」がないので、ここから先が我々がやらねばならない作業となる。

今度は左下「+項目追加」をクリックする。すると「検索画面に出す項目」というダイアログボックスが出る。しかしここでも見当たらないので、ボックス画面を下へスクロールさせるとようやく「件名、ジャンル」「分類」という枠が表示される【図3-8】。

とりあえずここでは「件名」と「NDC」「NDLC」を選んでおけば、ふつうの日本語の本を検索するのに不自由はないだろう。NDCは日本限定だがどの図書館でも使っている日本十進分類法、NDLCは国会図書館ぐらいしか使っていない国立国会図書館分類法である。普及度は極端に違うが、実はどちらも知識の全分野をカバーする「一般分類表」なので、この世

【図 3-8】「検索画面に出す項目」で「件名」「NDC」「NDLC」をチェックし、決定

のすべての事象が分類できる（ことになっている）。逆に言えば、NDC か NDLC を使えば、本になっていることなら何でもわかるし、さらに重要なのは、ある事柄は本になっていないということまでわかっちゃう。

　これらのチェックボックスをチェックして「決定」をクリックすると元の検索画面に戻るが、そこに「件名」と「NDC」「NDLC」の検索窓が生まれているのがわかる【図3-9】。

　ログインするとこれら追加した検索窓はまた復活するようだ。ID を取っておき、自分専用の検索窓セットを作っておいてお使いなさい、ということなのだろう。

書店についての本を件名で検索してみる（事例）

　とりあえず件名欄で「書店」を検索してみると、【図3-10】のように出る。特定の新刊書店と、古書店と、「書店」が含まれる出版社についての本が出てくる。ノイズが多い結果ではある。

　前著第5講で説明したように、戦後のまじめな本には件名が一通り付与されているし、NDL の名称典拠 DB で件名もコントロールされているから、名称典拠で「本屋」や「書店」を検索して「書籍商」という件名を見つけられれば、件名「書籍商」で NDL サーチも検索できるはずである。しかし、やはり前著で解説したように、名称典拠 DB で、うまく自然語「書店」→件名「書籍商」が見つからないので、それはタイトル中に「書店」がある本のデータから件名「書籍商」を見つけ出せばよい、と指南しておいた。

【図3-10】件名欄で「書店」を検索してみるとノイズが多い

【図 3-11a】 タイトル「本屋」で検索した結果一覧

田村美葉『東京の美しい本屋さん 最新改訂版』(エクスナレッジ、2023) の詳細画面を開けて、かなり下へスクロールさせていくと、この本の「件名標目」(件名と同じ意味) が「書籍商−東京都」だと判る。さらに「(00961930)」と「典拠→」という部分がリンクで踏めるようになっており、それぞれ典拠番号で引いた結果や、典拠データも出てくるが、前著第 5 講の「細目の不備をどう補うか」で指摘したように、歴史的経緯から件名は細目の展開が不十分なので、典拠が十全に機能しない。拙著で説明したように、件名欄に改めて「書籍商」をコピペ or 入力して、フリーキーワード欄に「東京」や「神保町」などと、地名や時代を補足して入れ、再検索するとよいだろう【図 3-12】。

分類から日本の書店について単行書一覧を作ってみる

　『東京の美しい本屋さん』の詳細画面【図3-11b】を見ると、「NDC10 版」の欄に「024.136：図書の販売」と表示され、リンクになっている。このリンクを踏むと、自動的に、東京都における図書の販売についての本がリストアップされることになる【図3-13】。

【図 3-11b】『東京の美しい本屋さん』の詳細画面

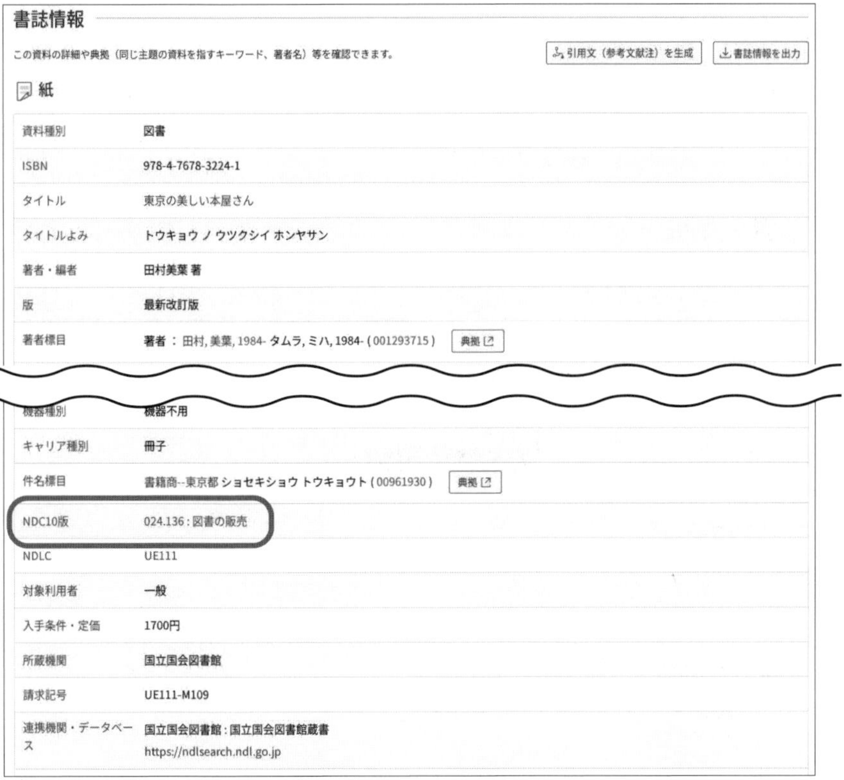

書誌情報	
この資料の詳細や典拠（同じ主題の資料を指すキーワード、著者名）等を確認できます。	引用文（参考文献注）を生成　書誌情報を出力

📄 紙

資料種別	図書
ISBN	978-4-7678-3224-1
タイトル	東京の美しい本屋さん
タイトルよみ	トウキョウ ノ ウツクシイ ホンヤサン
著者・編者	田村美葉 著
版	最新改訂版
著者標目	著者：田村,美葉, 1984- タムラ, ミハ, 1984- (001293715)　典拠

機器種別	機器不用
キャリア種別	冊子
件名標目	書籍商--東京都 ショセキショウ トウキョウト (00961930)　典拠
NDC10版	024.136：図書の販売
NDLC	UE111
対象利用者	一般
入手条件・定価	1700円
所蔵機関	国立国会図書館
請求記号	UE111-M109
連携機関・データベース	国立国会図書館：国立国会図書館蔵書 https://ndlsearch.ndl.go.jp

【図 3-12】 件名「書籍商」と「神保町」の検索結果一覧

【図 3-13】 東京都における図書の販売についての本

　第9講で説明するが、実は NDC、8 版、9 版、10 版はほぼ同じものとして使える。7 版が独自な部分が多く、6 版以前は大枠同じと考えてよい。また NDL では、戦前の帝国図書館本に簡略化 6 版を、1980 年以前には 6 版を、以後は 8 版をデータ付与したので、1980 年の切り替えだけ気をつければ NDC 検索が有効に使えるはずだ。

　また NDC は分類項目をわりと無理やり「十進」的に展開する。これは逆に言えば、桁数を減らしていけば必ず上位の大きな主題になるし、桁数を減らすと同時に当該数字以外の 9 つも一緒に検索するようにすれば、類似のものも一緒に表示されることになる。

　「024.136：図書の販売」は NDC の構造からいうと、「024」と「136」に分けられる。「024」が本の本当の主題（「主標目」という）図書の販売で、「-136」はおまけで付与される「細目」の地理区分で東京都の意味だ。たとえば地理区分を 1 桁左へ減らすと「-13」は関東地方ということになる。

　今回は簡単に、「024.1」まで左へ桁を減らしてみよう。すると、日本の本屋についての本がリストアップされる【図3-14】。

【図 3-14】NDC「024.1」の検索結果一覧

これだと東京の本屋の本が出てこないので、「024.1*」と、半角アステリスク「*」を一番右に入れて検索する。検索で「前方一致」と言われるやり方だ。これで、日本全国レベルの話と各県レベルの話、両方の本屋の本がリストアップされることになる【図3-15】。

【図3-15】NDC「024.1*」の検索結果一覧

　ただ、1980年を越えて古くなると、途端に「全国の図書館」のデータばかりになるので、「これは?!」とちょっと気づかないといけない。NDC6版をネットで閲覧できるものがなぜだかないので、5版から引用すると次のようになる【図3-16】。

【図3-16】NDC5版の024の項目は8版以降と意味が違う

　どうやら「024」はNDC6版だと図書の販売ではない。「024」は本の受容の話で、本の販売は制作と一緒に「023」だったようだ。さらにいくつかの本のデータを見ると、「023.9」が6版で図書の販売に割当てられた項目であったとわかる。そこで、NDC「023.9」で1980年以前の本を検索してリストを作ると、1980年以降の「024*」と同じ主題の本をリストアップできるということになる【図3-17】。

【図 3-17】NDL にある 1980 年以前の本屋の本（NDC6 版「023.9」）

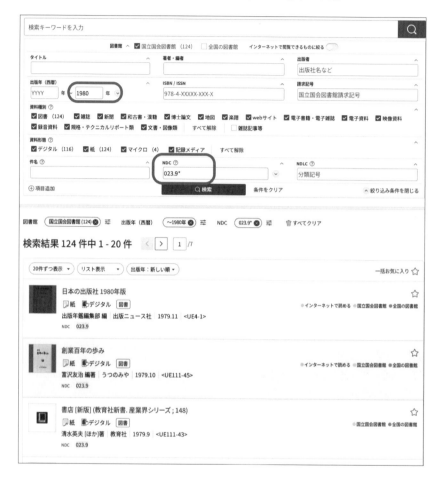

NDL 以外の「全国の図書館」に未知文献を求める

　しかし、1980 年以前の本をあえて「全国の図書館」にチェックして、さらに「024*」で検索してみると【図3-18】のようになる。すると NDL 以外の全国の図書館で NDC8 版などで整理した本、つまり確かに本屋の本であるものが出てくる。というのも、大きすぎない図書館の場合、NDC をバージョン違

いに変える際に、遡及的に分類番号の付け替えをすることがあるからである。

　ｃの、全国書誌を主題検索するという目的において、全国の図書館の本はノイズになる可能性もあるし、NDL で NDC を付与しない洋書が出たり、データの質もバラバラだが、あえて検索してみるというのも全国書誌として NDL サーチを補完的に検索するという意味でいいと思う。

【図 3-18】NDL 以外で 1980 年以前の本を「024*」で検索する

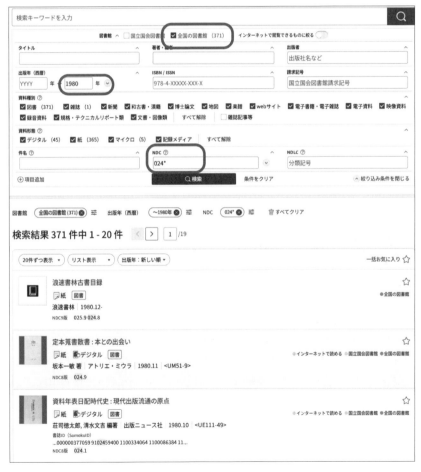

まとめ

　NDL の蔵書目録と都道府県立の総合目録を合体させたのが新 NDL サーチ。総合目録にはさらに大学図書館などのおまけがついているので、全国の大きな図書館からレア資料を見つけたければ、そのまま初期画面で使えばよいだろう。

　NDL の蔵書目録として使うのなら先頭に出てくるチェックボックス「全国の図書館」をはずして使えばよい。

　未知文献を求めて分類や件名で検索する場合にはちょっとやっかい。ID をとりログインして自分用にカスタマイズする必要がある。ここでは分類や件名の検索窓を足したが、「本文の言語コード」あたりを足すのもよいだろう。

　旧 NDL オンラインで常に一緒に検索されていた「雑誌記事等」が新NDL サーチ「資料種別」でチェックが外れた状態がデフォルトになっている。これを不便と取る向きもあるが、私は賛成だ。もともと NDL 雑誌記事索引の雑誌カバー率は低く、来館者にマジに記事検索してもらうにはウェブ大宅、ざっさくプラス、J-STAGE などを案内するのが筋だろう。

コラム B　週末古書展になぜ驚きが埋もれているのか
本の並びの原理論

　図書館で本は知識分野ごとに並ぶ。書店で本は知識分野や文庫・新書などのレーベルで並んでいる。それ以外の「並び」はないものかと考えたら、私がよくいく古書会館での週末古書展が、出品店ごとに並んでいると気付いた。そしてこの並びは実はもとの持ち主の持っていたグループを（間接的にだが）反映しているのだ。図書館でも書店でも並べられないこの独自の本の並び、もとの持ち主の並びを反映する本棚は、一見無関係だが、実は関係ある意外な本を見つける驚きに満ちている。古書会館は東京、神奈川、名古屋、京都、大阪、神戸などにあるが、催事情報はサイト「日本の古本屋」の「古本まつりに行こう」という項目で確認する。

第4講
デジコレの2022年末リニューアルをチェック!

ファミリーヒストリー編

2022年は「調べ物ルネッサンス」?!

　前著『調べる技術』は意外にもベストセラーになった(2024年4月段階で8刷3万部)。インタビューなどで「なぜ売れているのか」と聞かれた。それはこっちも知りたいと思いつつも、スマホが普及し「検索」が日常になったからではないかと考えた。調べるニーズが増大し普遍化しつつあるのに、調べる技術は偏在している。その格差を埋める働きが拙著に期待されたのだろう。

　誰もが情報の大海に出て調べものをする、大航海時代ならぬ「大検索時代」が到来したのである。にもかかわらず、ふつうの人の検索術、調べる技術は以前のまま。一方でグーグルなど検索エンジンのほうも、それに迎合して一見、わかりやすく結果を示してくれる。でも、本当にこれでいいの?　とみんな薄々気づいていたのではなかったか。

　前著は前職レファレンス司書としての当たり前、「理の当然」を、在野研究者のために書き出したもの。「あとはセルフ・レファレンスで、自分で出来るよね」と連載をやめたのだったが、それがこんなにも江湖に受け入れられると、ちょっとやり残した責任を感じるようになった。チップスも40個以上説明していないし、補足説明したほうがいいことも多い……。

　ということで連載を書き継いだが、この第4講は前著刊行2週間後に国会図書館(NDL)の大データベース(以下、DB)「デジタルコレクション」(以下、デジコレ)が大幅リニューアルされた【図4-1】のであわてて書いたものである。

前著第 6 講で、数年先にデジコレ内の『官報』がフルテキスト化されれば、戦前新聞DB の代用——戦前の官報は社説のない新聞そのもの——になると予言していたのが、それがそのまま早く実現されて、ちょっと驚いている。

【図 4-1】インターフェイスが一新された NDL デジコレ

評論家の栗原裕一郎さんが埜納タオによるレファレンスのマンガ『夜明けの図書館』（双葉社、2010 ～ 2021）や拙著を紹介する中で（『東京新聞』2023.1.21）、NDL デジコレの個人送信開始（5 月）、「次ぎデジ」実用化（6 月）、デジコレ全文検索拡大（12 月）も一連の流れだとして「昨年はさながら「調べもののルネッサンス」の年であった」とまとめている。

調べもののルネサンス期は大検索時代でもあり、今回のリニューアルは調べる人全員にチョー重要だ。どれくらい重要かというと、前著第 10 講をまるまる差し替えないといけないくらい重要。そこで 2 章にわたって、デジコレ・リニューアルを解説しておきたい。

デジコレが良くなる方向性いくつか

ご存知のとおり、NDL のデジタルコレクションは、過去 150 年間に国立図書館が集め続けた国民の蔵書（4700 万点）を写真撮影し、データ化しつつあるものだ。どこまで撮影が進んだかで「量」が、どれだけデータがリッチになったかで「質」が改善されていく。

　NDL のプレスリリースによると、今回リニューアルの主な内容は次の4つ。

（1）全文検索可能なデジタル化資料の増加

（2）閲覧画面の改善

（3）画像検索機能の追加

（4）シングルサインオンの実現

　（2）と（4）はユーザインターフェイス（UI、使い勝手）の向上で、劇的に良くなった。ちなみに（4）「シングルサインオン」（SSO）とは一度ログインすると、関連する他のシステム——たとえば NDL オンライン——でログインし直さないでいいことである。UI は本当に重要だと実感した。けれど調べものの「質」や「量」とは一応、別スジとしておきたい。

　（3）の画像検索はまだ改善の余地が多分にあるようだ。例えば永代橋（1897 年）の写真絵葉書をドラッグ＆ドロップしたところ、おおむね橋梁の写真が出てきたが探している永代橋は 15 枚目だった。

　以上のことから、ここでは(1)の全文検索機能を検討する。全文検索とは、撮影した本文を全部テキストデータに起こして検索できるようにしたもので、「全文データ」とか「フルテキスト」などと呼ぶこともある。ここでは NDL 館内用語だった「フルテキ」も使うがご容赦願いたい。

要するに、デジコレに「次ぎデジ」の拡張版が付いた

　まずは「量」の改善。今回の目玉はやはり、（1）全文データが劇的に増えたことだ。以前の 5 万点から 247 万点、つまり量において約 50 倍になった。デジコレには今 461 万点が入っているようなので、約 5 割にフルテキストが付いたわけである（2022 年 12 月段階）。その後、徐々に増えつつある。

　そして同時に「質」も良くなっている。全文データも以前の 5 万点時代のものは外して、全面的に新データに積み替えたようだ。インターフェイスの改善もあって、247 万点の全文データは十分使い物になる。ざっくり言って、試験的に開発されて話題を呼んでいた「次ぎデジ」（→前著第 10 講）の拡張版が、旧デジコレの全文検索と置き換わったと言えよう。

日本の学問が全部書き変わる

　NDL 全体は 4700 万点の蔵書があるので、単純にいうと 5% に全文データがついたわけだ。これから先、残りの資料に広がっていけばすごいことになる。恩師が「次ぎデジ」を評して「（日本の人文社会系）学問が全部書き変わっちゃう」と言っていたことが、今回デジコレのフルテキ化にそのまま当てはまる。

戦前のことなら永田町へ行かなくても ?!

　ざっと見たところ、全文データがついた資料は、戦前の図書、雑誌、官報、戦後の図書が多い。戦後の雑誌も本文が引っかかり、便利そうなのだが、著作権未処理なのか「館内限定」データが多い。逆に言うと、戦前のことならわざわざ NDL 本館のある永田町まで行かなくとも自宅で済みそうだ。

　もちろん、NDL 新館地下書庫に眠っている膨大な量の新聞紙がフルテキ化されればさらにものすごいことになる。いままで 10 年以上、在米日本語文献を誤変換だらけの Google ブックス（→前著第 9 講）で探っていた我々にとり、今回のリニューアルは朗報だ。

とりあえず、オススメは何

　今回のリニューアルを一言でいうと、「戦前日本の調べものならなんでもできる」ということになる。しかしレストランでメニューがないと、何を頼んでいいのかわからないように、とりあえず何が美味しいのか、といった私のオススメを考えてみる。

　書名、論題名などのメタデータを検索することもできるのだが、今回の全文データは本文そのもののデータなので、キーワードをうまく選定しないと、結果が「ノイズ」（本当は不要な検索結果）だらけになってしまう。

　全文データを検索する場合には、とりあえず固有名詞を用いるのがよさそうだ。普通名詞だと大量にヒットしすぎて、結局チェックができなくなっ

てしまう。人物調査など、元から固有名詞でこそ意味がある検索や、あるいは、普通名詞の事柄でも、関連の深い固有名詞に置き換えて検索する、といった技法が考えられる。

ファミリーヒストリーに使える

　ツイッター改めXを見ると「自分の祖父や曽祖父の名前で検索するといいよ」などという話がみつかる。人物情報でも、まずは先祖調べに使えることがわかる。新しいツールをどう使えばいいかわからない場合、とりあえ

竹内　翔@メタバースはじめました
@netnewsman

国会図書館デジタルコレクション、おじいちゃんとかひいじいちゃんの名前で検索すると楽しいよ。
古い雑誌や自治体史の本文が検索できるようにアプデされて、商売とかやってた人だと結構引っかかる。

結果うちのひいじいちゃんは、県内最強の草相撲力士だったことが判明した

dl.ndl.go.jp
国立国会図書館デジタルコレクション
国立国会図書館デジタルコレクションは、国立国会図書館で収集・保存しているデジタル資料を検索・閲覧できるサー…

（https://twitter.com/netnewsman/status/1613518079283335170）

ずSNSでアーリーアダプターがどう使っているかを見るのも一つの技法だ。
　さすがにみなさん事例を示してはいないので、私の祖父2人を調べてみる。

さっそく祖父を検索してみると

　ふつう祖父というものは誰にも2人いる。私の母方の祖父は若死にしたので、大正期から昭和30年ごろまで東京の下町で古道具商をやっていた曽祖父を探してみる。その名前でデジコレを検索するも、同名異人が出るきりでノーヒットだった。
　ところが、父方の祖父——浅香勇吉という——はデジコレで何と29件ほどヒットした【図4-2】。母方は人物調査の3類型（前著第4講、有名人・限定的有名人・無名人）でいう無名人だったのに対し、父方は限定的有名人だったわけである。

【図 4-2】祖父（浅香勇吉）の名が結構ヒット

　戦前、満洲でそこそこ出世し、ソ連軍侵攻時には北満の嫩江（祖母はノ
ンジャンと言っていた）で助役をやっていた。こちらの方はヒットする文
献のうち、発行地や主題の場所から、どうやら明治期、東京の高円寺近辺
に同姓同名の人物がいたことが（初めて）わかるが、探している人物は満
洲帰りなので『帝国実業商工録 昭和8年度版 満鮮版』『満洲紳士録 第2
版』といったものを順次見ていけばよい。実は、これら紳士録（人名鑑）
に載っていることは今までのプライベートな綿密調査ですでに判っていた
ので、今回それ以外の資料がデジコレならではの新発見ということになる。

リニューアルならではの新発見資料①→官報

　例えば『官報』。1942年4月9日の第4572号 p.295 に「〔各省の〕広告」
に陸軍が「●恤兵金品」として、1938年7月に受け付けた寄付の金額・
寄付者名のリストを掲げている【図4-3】。

「今回ノ支那事変ニ関シ……」という記事で、その満洲国の１段目、後ろから３行目に次の記事が出てくる（何順か分からないが、おそらく寄付金到着順だろう）。

　　　一圓三〇北崎＝伯　　二〇圓淺香勇吉　　九一圓二五住友金屬工業會社

　日滿從業員一同　　二〇圓長澤英太　　　　　　　　※下線は引用者による

　へぇ、おじいちゃん、「支那事変」で20円も（今だと10万円くらい？）、個人で陸軍へ寄付していたのかぁ、と驚いた。おじいちゃん本人は「ソ連侵攻後、いばってた関東軍がもぬけの殻に」と呆れてたから、当初は帝国陸軍に期待してたんだなぁ……とっても意外。

【図4-3】1942年の寄付リストに載った祖父

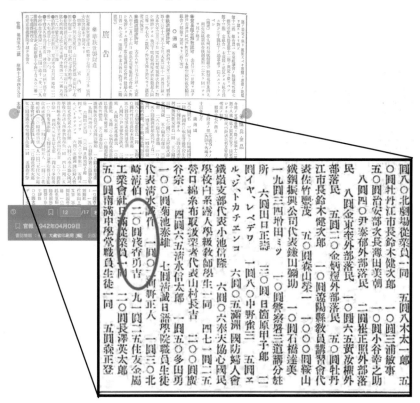

また戦後の『官報』（1950.8.28）号外103号p.39上段後ろから12行目にも名前が出るので、昭和25年度の測量士補試験に合格していたこともわかる。そういや農地を測る出先の役人をしていたとか聞いたな……。

新発見の資料②→広告記事

　今回初めて見つかったものに商工録（企業名鑑）の広告記事がある。従来、広告というのは新聞DBの一部でしか検索できなかった。お付き合いで出されることが多い「名刺広告」に名前が出ていた【図4-4】。

　亡父が「おじいちゃんは今でいう転勤族だった」ぐらいのことを言ってたけれど、ホントにそうだったんだ……公主嶺（長春市——当時は新京——の南）にいたなんて話は初めてだ。

　と、すでに集めていた履歴情報に、こういった新発見資料から断片的な情報を足し込んでいくと、きっと本人も忘れていただろう細かいネタを含んだ詳細年譜ができあがるだろう。

【図4-4】公主嶺営業所時代の祖父（1933年）

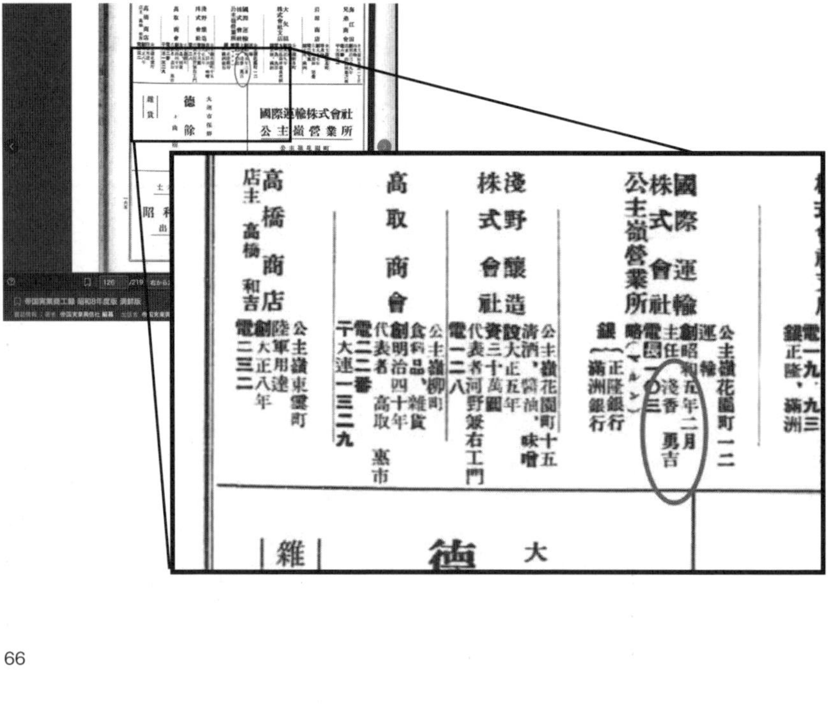

使って気づいたこと

新字⇔旧字

　NDL の DB はおおむね新旧漢字の「正規化」がなされるので、新字「淺香」で引いてもちゃんと「淺香」が出るので有り難い。ただ、次ぎデジで、一部の結果版面に表示されていた出現箇所を示すピン表示（次ぎデジにはあった）がデジコレにはついていないので、官報の掲載名リストのようなものから当該箇所を目視で見つけるには、最大 2 ページほどの〈根性引き〉をしなければならずツライ（できなくはない）。できれば「次ぎデジ」で試みられたピン表示をつけてほしい（近々つきそうな予感……）。テキストデータ「一圓三〇北崎〓伯」のように、OCR で読めなかった字（ここでは「清」の旧字「淸」）は「〓（ゲタ）」が入ったりしている。

記事⇔広告

　全文テキストを検索できるので、従来見過ごされてきがちだった広告記事の部分も拾えるのも良い。

民間人⇔役人

　これは DB 側の話でなく、調べる事柄のほうの要因だが、調べた二人のうち、一人がノーヒットで、もう一人は新発見資料がいくつも見つかったのは、小商店主と大会社社員の違いということができよう。二人とも民間人だったが——おかげでか満洲にいたほうは、シベリア抑留を免れた——役人、軍人ならまた別系統の文献、例えば係長クラス以上全員が載る公務員の『職員録』にひっかかるだろう。

男性⇔女性

　ツイッター改め X 上で「デジコレでおじいさんを探せ」とあるのは、戦前、女性は活字媒体に記録されづらかったからでもある。ただし紳士録であれば、男性の妻ないし娘として載ることがあるので、ノイズ覚悟になるが、

改姓前、後それぞれの名字と名前で and 検索するという手もある（紳士録だと検索結果一覧に本文テキスト表示が出ず、各図書の詳細画面に遷移してから「全文検索」をクリックして再検索しないといけないようだ）。

団体の情報を探す：例えばある特価本問屋

　団体名で検索するのも固有名検索の一種としてかなり有効だ。いま私は戦前の特価本問屋を調べているのだが、最初で最大の「大正堂」についての資料が少なく——どうやら博文館のダミー会社だったらしい——困っている。そこで安直にも「大正堂」で検索してみると5342件もヒットするので、検索語をいろいろ足してみる。ちなみに検索結果のヒット数が多いと、このシステムは一覧表示で本文の表示部が一呼吸遅れて表示される。ちょっと待つこと。

　特価本問屋なので「書籍」やら「図書」やらを足して検索すると、やっぱりノイズだらけなのだが、ヒットしたなかに『官報』があり、商業登記の情報が載っているのではと気づく。「大正堂　図書」の and 検索でさらに官報だけに絞り込むと、『官報』（1912.9.2）に（株）大正堂の登記簿情報が出てきた【図4-5】。

　次のような記事がフルテキスト化されている（全文データに適宜改行及び空白を入れ〔〕内を補った）。リニューアル前の5万点時代に比べ、かなり誤変換が少ない。

　　　一商本號店　株式會社大正堂
　　　〔一本店〕　東京市神田區裏神保町六番地
　　　一日的　一圖書雜誌及版板紙型原版ノ賣買
　　　　　　　　二前項事業ニ附帶ノ業務
　　　一設立ノ年月日　大正元年八月二十八日
　　　一資本ノ總額　金十万圓
　　　一株ノ金額　金五十〔……〕

【図4-5】（株）大正堂の商業登記『官報』（1912.9.2）

（ヒント）特定性の弱い固有名詞はキーワードや資料種別で絞り込む

　人名などと異なり、「大正堂」のように特定性の弱い固有名詞は工夫しないと求める資料がうまくヒットしないだろう。関連キーワードの品を変えて and 検索を試したり、商業登記なら「デジタル化資料（の種別）」から「官報」で絞り込んでみたりとなかなか大変だ。

　しかし、以前のフルテキ無しデジコレに比べれば、「タイパ」（タイム・パフォーマンス）は格段に良くなっている。実はこの商業登記の記事は、別の情報から8月まで判っていたので、商業登記の当該月から翌月ページを順次めくって〈根性引き〉をするという技法で見つけていたのだ。その時の十分の一以下の手間になったと言っていいだろう。

本文データの応用：コピペして補正して再利用

　本文データも気をつければ、コピペして（コピペ元は詳細画面で「全文検索」をクリックしてキーワードを再検索して表示させる）、版面画像を見ながら次のように補正して論文などに再利用できる。人文リンク集の便利ツールにリンクがある新旧漢字変換テーブルで全体を新字に統一して作り直すと次のようになる（下線部が誤変換だった部分）。

　　　　一商号　　株式会社大正堂
　　　　一本店　　東京市神田区裏神保町六番地
　　　　一目的　　一図書雑誌及版板紙型原版ノ売買
　　　　　　　　　二前項事業ニ附帯ノ業務
　　　　一設立ノ年月日　大正元年八月二十八日
　　　　一資本ノ総額　金十万円
　　　　一株ノ金額　金五十〔……〕

　あとは〈キーワードわらしべ長者法〉（『調べる技術』あとがき）で、たとえば大正堂の取締役筆頭「高岡安太郎」——神田神保町のコミック専門店として有名だった「コミック高岡」の先祖——を足して再検索するとかなりイイ感じ。いつもの通り〈年代順にソートしてチェック〉していくと（年代順に見ることで同じ文字列でも意味が生じ、取捨選択できるようになる）、大正9年2月19日に合資会社へ改組されていることが『官報』（1920.6.3）の「広告」欄「商業登記」でわかった。さらにキーワードを「合資会社大正堂」に変えて検索すると、2、3同名の会社解散の商業登記が広告されているが、場所柄から言って、『官報』（1921.9.30）に「●合資會社大正堂（追加）／一線仕員〔総社員〕ノ同意ニ困リ〔因リ〕大正十年七月三十一日解散ス／右大正十年八月三日登記　東京區裁判所蒲田出張所」とあるのがこれらしい。ちなみに「紙型」「原版」を売買するという登記情報の設置目的に特価本問屋らしさが表れている。倒産出版社などから放出された紙型（活版を作る型）を買い取って、安く作った特価本を「つく

り本」という。

　これで特価本問屋（株）大正堂のあらましが判ってしまった。近代出版史研究で最先端の知見といっていい。特に解散情報がわかったのはデジコレ・リニューアルのおかげだ。

再検索が意外と有効

　ネットを見ていたら、こんなエントリがあった。

小二田 誠二 @KONITASeiji・1月16日　　　・・・
私が心がけているNDLデジタル使用法のひとつは、当該箇所しかヒットしなくても、もう一度当該資料内で全文検索し直すこと。それで出てくる場合が結構在る。文字列をすこし短くするのも効果的(増えすぎることもあるけど)。

（https://twitter.com/KONITASeiji/status/1614844379398832129）

　一度引き当てた文献内で、再度「全文検索」をかけてみる。それも探索キーワードをやや短くして試してみる、という技法である。〈行った先で短め再検索法〉とでも呼んでおこう。なるほど、これなら誤変換の罠もある程度かいくぐれるというわけだ。

固有名検索のキーとしてのアドレス

　人名でも団体名でも、フルテキ化誤変換の可能性は常に残り続けるので、せっかくのフルテキストなのだから、同じ事柄につながる別要素の文字列を念のため検索してみるのもよいだろう。それで思いつくのが電話やインターネット普及以前、広く連絡先として使われていた「アドレス」だ。つまり住所（地番や住居表示）を検索してみるのだ。同じ番地にいた人間や団体は何らかの関わりが昔は強かったものである。

　無名人だった母方の曽祖父を、その戦前住所で検索したところ、家の伝承に出てこない人物が官報に出てきて、大変におどろいている。戸籍を詳細に洗う必要がでてきた。ちなみに「神田区○○町１丁目２番地」といっ

た場合、「神田区○○町一丁目二」「神田区○○町一ノ二」「神田区○○一丁目二」といった縮約形も試すこと。〈現在の住居表示を戦前の地番に変換する方法〉もなくはないが長くなるので別講で。

（おまけ）言い回し、語誌を探る――「全米が泣いた」の初出は？

　ネットを見ていたら、前著第9講で事例に用いた「全米が泣いた」という言いまわしの初出は「ニコニコ大百科」にちゃんと出ているよ。それは1976年映画『エリックの青春』の宣伝文だよ、と指摘があった。

　たしかに「ニコニコ大百科」の当該項目にその旨の記述がある。これまたツイッター改めX情報だと編集履歴も当該項目にあるとのことだが、どうやらニコ動プレミアム会員でないと見られないようなのでインターネット・アーカイブで確認すると2022年5〜8月ごろ加わった部分らしい。

ρ（12/27『〈怪奇的で不思議なもの〉の人類学』刊行）　　　・・・
@ryhrt

去年12月に出た『調べる技術』で、Googleブックスで調べる例として「全米が泣いた」を取り上げ、先行する調査結果にねとらぼのページを載せているのだが、Googleブックスで検索するよりも実はニコニコ大百科のほうが初出について正確なようで、これはデジコレ全文検索でも裏付けられた

午後7:08 · 2023年1月15日 · 3.1万 件の表示

（https://twitter.com/ryhrt/status/1614565097686585345）

デジコレだとどう出るか

　さっそくデジコレを確認すると【図4-6】のようである。私は前著第9講でGoogleブックスを使い1965年から1981年の間まで絞り込んでいたが、その先は詰め切っていなかった。

　検索結果一覧では『スクリーン』1976年8月号23コマ目に、「ミリオン・セラー、＊全米が泣いた！　いまはなきわが子に捧げる映画化！　みじかくも美しい青春が走る！　すべての人の心に、」と載っていると出る。しかし残念ながらこの本は「国立国会図書館内限定」なので家からその先に進めない。

【図 4-6】「全米が泣いた」で検索すると

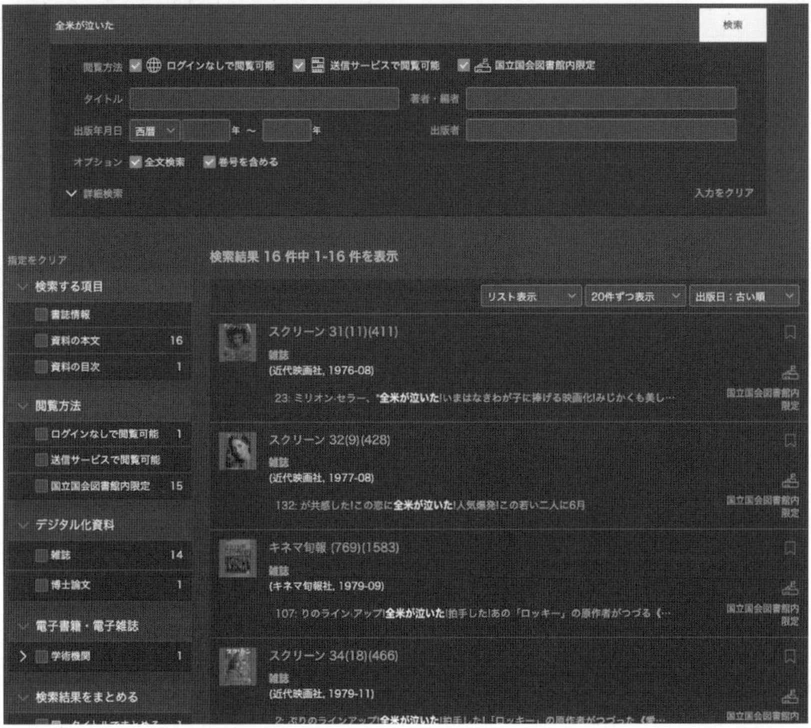

〈答えから引く法〉で確認

　困ったなと思っていると、「そうだ、いま答え（の候補）を知っているんだから、答えから引けばいいじゃん」とひらめいた（〈答えから引く法〉は前著第13講で説明）。そこで『エリックの青春』で読売新聞のDB「ヨミダス」を検索し（私はNDLでない別機関のIDで家から引ける）、次の結果【図4-7】を得た。

【図 4-7】「[広告] 映画「エリックの青春」／ ヒビヤみゆき座」『読売新聞』（1976.7.16 夕刊）p.12

　右肩に小さく「全米が泣いた！ひとりの母が悲しみの中で綴ったミリオンセラーの映画化」とあるので、確かに『スクリーン』1976 年 8 月号に載っている映画らしいと判った。ただし、7、8 件ほどヨミダスでヒットした同映画の広告を見ると「全米が泣いた」とあるのは 2 件のみ。ネットにある同映画のチラシを見てもこのフレーズがない。かなり不安定なフレーズだったことがわかる。

出典のテレビ番組を検索する

　デジコレから逸脱してしまうが、このフレーズにこだわると──依頼者がいればこだわるもなにもなく、ひたすらこれを追求する──「ニコニコ大百科」の記述が微妙に変である。

74

⌐ 初出

初出は1976年に公開された映画『エリックの青春』の宣伝が有力視される。

2018年2月20日放送の日本テレビ「ニノさん」での調査によると、映画宣伝プロデューサーである和田康弘さんに伺った情報となるが、雑誌・近代映画社「SCREEN」(1976年8月号)に掲載されていた映画『エリックの青春』の宣伝ページと思われるものが紹介され、そこには「※全米が泣いた！いまはなきわが子に捧げる母の涙のミリオン・セラー、映画化！」と書かれていた。

ただしネット検索では「ねとらぼ」の不完全な調査
（https://nlab.itmedia.co.jp/research/articles/1139/🔗）が上位に出るため、この初出情報を知る人は非常に少ないと思われる。

（https://dic.nicovideo.jp/a/%E5%85%A8%E7%B1%B3%E3%81%8C%E6%B3%A3%E3%81%84%E3%81%9F）

「有力視される」とか「と思われるものが」などと何やら間接的なのだ。書いた人は調査をしたという番組『ニノさん』を見たのだろうか？

　まず、日本テレビ系『ニノさん』は日曜日のバラエティ番組だが、説明文中の「2018年2月20日」は火曜日である。番組名と日付けのどちらかが間違いなのだろうか？　と、テレビ番組の放送結果を検索できるほぼ唯一のDB「TVでた蔵」を人文リンク集経由で検索してみる。どうやら、Googleが当該日情報のクロールに失敗しているらしいので（いわゆる深層ウェブのページにあたる）、当該番組の別放送日情報を見つけ、そこから「過去の放送」というリンクをたどると、次の放送日の情報が見つかる。

　2018年2月4日放送 12:45 – 13:15 日本テレビ「ニノさん　素晴らしき「ベタ」を研究！映画宣伝のベタ「全米が泣いた」の謎が解明！」【図4-8】。

　また、「ニコニコ大百科」の引用フレーズはそもそも『スクリーン』1976年8月号のデジコレ提示フレーズと異なっている。そこでさらに「"全米が泣いた" "ニノさん"」でググって画像表示させると、なんと『ニノさん』の当該画面引用【図4-9】が見つかった。画像を拡大すると、たしかに「（株）近代映画社 "SCREEN"1976年8月号より」と出典明示されていたことがわかる。

【図 4-8】「TV でた蔵」の当該番組クリッピング情報（2024 年 4 月現在「お探しのページは表示期間を経過しましたので現在公開しておりません。」と表示される）

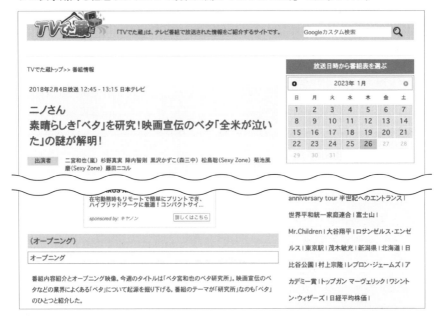

　「ニコニコ大百科」の当該部分を書いた人はこのツイッター改め X を見たのではなかろうか。このエントリには放送日が明示されず、掲載ページの説明がわからない点でニコニコの記述と符号するように思う。現在はないが、以前は NDL 人文リンク集にニコニコ大百科とピクシブ百科事典がリンクされていたので復活させてほしいものだ。ネット時代の文化はネットで調べるのが効率がよいのだから。

　「全米が泣いた」の初出は 1976 年『エリックの青春』の日本語宣伝文が初出らしいと言っていいだろう。もちろんそれは当面は、のことで、初出というものは、後からより古い事例がでてきた段階で書き換わるものであることには注意しておきたい。

【図 4-9】2018 年 2 月 4 日放送『ニノさん』
を紹介するツイッター改め X のエントリ

（https://twitter.com/caxjp/status/
1532029087769735168）

図書館へ行け、図書館へ

本書を間違って買ってしまった人へ

　本書と前著はガチな調べもののハウツー本で、個々の案件は小さい（狭い）が、実は
けっこう難しいことを調べる本だ。

　けれど、実際に調べるために本書を買ったが、自分には難しいから困ったという向き
もあるだろう。とりあえずあるジャンルを一通り調べたい、とか、何を調べたらいいか、
そこから分からないといった入門的な調べるニーズを感じた場合、どうすればいいか？

　そういった場合、実は図書館へ行くのがいちばんコスパがよい。ただし、都道府県立
図書館や、市立でも中央館といった大きい図書館へ行くとよいだろう。

　自分の知らないジャンルの事柄を調べる場合、関連の書棚の前に立って、その事柄に
ついての本を何冊か斜め読みするとよい。1冊をしっかり読むのではなく、複数冊をざっ
と読むのである。○○学、××論といった小さめの知識分野ごとに見取り図を脳内に作
る近道だ。

　お小遣いがたくさんある人は大型書店でこれをやる手もあるが、そうでないなら図書
館のでやるのが効率的だろう。ただし、完全閉架式の国会図書館でこれはできない。あ
そこは本が多すぎる。

第5講
デジコレの2022年末リニューアルをチェック！
官報編

デジコレ官報を一般事項で探ってみたが……

　第4講で国立国会図書館（NDL）のデジタルコレクション（デジコレ）を使い、ファミリーヒストリーを探求して改めて思ったのは、『官報』の戦前版（1883（明治16）年から1952（昭和27）年）にフルテキストが付いた重要性だった。

　戦前の官報は、社説のない新聞紙そのものだ。今まで朝日、読売の2つしか戦前新聞データベース（DB）が事実上なかった日本に、3つ目ができたわけである。それもただで引けるフルテキスト付きのものが。

　その際に気づいたのだが、デジコレトップページに「コレクション」という区分が設定されていて、そこから官報を選ぶと「官報種別」「記事種別」「機関」というデジコレ官報固有の絞り込み機能がおまけでついている【図5-1】。これが機能すれば、固有名詞から既知情報の検索でなく、普通名詞などから未知情報が検索できるかもしれないと思った。

　そこで試したのだが、うーん残念。発想はいいのだが、改良をしないと使えない段階のように私には思えた。以下、いろいろ試した経過をご報告する。

発禁本は明治43年まで告示された

　発禁本は明治初めからあり、明治16年からの官報にもその指示があるが、議会を通した法令できちんと（？）発禁本が指定されたのは1893（明治26）年の出版法（明治26年4月14日法律第15号）からで、これが

【図 5-1】「コレクション」の「官報」から入ると官報固有の絞り込み機能「官報種別」「記事種別」「機関」が出る

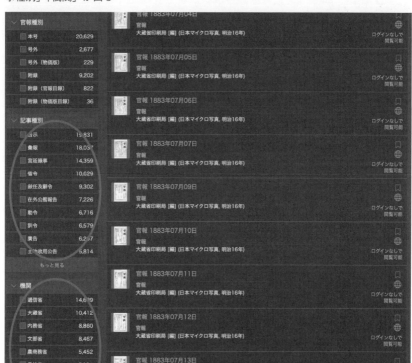

1910（明治43）年6月まで「告示」（行政庁決定を一般に公式に知らせること）されていた。次のレファ協事例が参考になる。

・1910年9月1日発行の『ホトトギス』の発禁処分について、当局（内務省）の決定はどこに記載されているか（レファレンス協同DB）
（https://crd.ndl.go.jp/reference/entry/index.php?id=1000195972&page=ref_view）

出版法での発禁本をデジコレ官報で探そうというわけだが、実は答え合わせの一覧表（斎藤昌三編『現代筆禍文献大年表』粋古堂書店、1932）を

予め知っているので、それの法律施行の次の月から任意の1冊を選んで、版元名「辻岡文助」でデジコレ官報を表示させてみると次のごとくである（官報1893年5月17日217ページ、引用時全文検索をし直してそこからコピペ。適宜□を補い、見せ消ち、補記、改行を加えた）。版面の文字列とは微妙に文字化けでズレている所に注意されたい。

○■〔告〕示⊖⊖
内務省告示第二十九號
→〔一〕時事〔問題〕名士演說附名士意見第三□□□□□一册
□□□□□□□問題東京市日本橋區横山町三丁目二番地□辻岡文助□發行
右出版物ハ安寧秩序ヲ妨害スルモノト認ムルヲ以テ其發賣頒布ヲ禁止ス
□□□□明治二十六年五月十七日□□□□内務大臣□伯爵井上馨〔馨〕

「記事種別」と「機関」を掛け合わせてみたが……

前記のように発禁となった図書は「内務省告示」として官報に記載され、実際に今回、NDLデジコレでフルテキスト化されたわけである。そこで「記事種別」を「告示」かつ「機関」を「内務省」で検索し、当該年を表示させてみたのだが……。ノイズが多すぎるような気がする。

1893年5月分が10件ヒットしたなかで、内務省告示が実際に存在したのは6件だった。つまり4件に内務省告示はなかった。これを多いとみるか、少ないとみるかは難しいが、私としてはもう少し「精度」が上がる余地があるのではないかと思う。

どうしてこうなったのかは、「記事種別」と「機関」のデータをどこから切り出してきたのかという問題と、and検索でどの範囲（例えば1ページ、1冊など）で同じ場所にあればヒットしたことにするかという問題がからんでいるのだろう。おそらく、既存の目次データから切り出す一方、ページ単位でなく冊子（このDBでは1件）単位にあればヒットさせているのだろう。

官報の欄名、項目名

　発想を変えて、単純に同時期の「内務省告示」が何件ヒットするか検索してみた。すると実際に存在した内務省告示が6件そのまま一覧表示される。

　どうやら、どの欄、どの項目名の下に求める情報があるか予めわかっていれば、その欄名・項目名で全文検索するほうが現状ではいい気がしてきた。

　そのためには、なんらかの形で求める事柄の欄名を先に探って、それを手がかりに引くのがよいようだ。そこで次に前著第6講（p.89）に掲げた表を少し改良して【表5-1】として掲げておく。ここでは仮に記事種別を10種にまとめた。

【表 5-1】官報の欄名、項目名（戦前をモデルに例示）

記事種別	欄名：項目名	目次採録	メモ
①法令	詔勅、勅令、省令、訓令、達、告示	◎	日本法令索引 DB から引く（告示は引けない）
②辞令	叙任及辞令	△	目次採録レベルが中途半端
③宮廷録事	宮廷録事	△	目次採録レベルが中途半端
④各省の報告	彙報：官庁事項（裁定及判決、司法警察及監獄、財政、褒賞）、陸海軍、日本赤十字録事、学事、農事、商事、工業、漁業、鉱業、世界博覧会録事、土木及通運、衛生、雑報	△	いろいろな興味深い記事があるが、目次採録レベルが中途半端
⑤議会	帝国議会（貴族院、衆議院）、地方議会	△	帝国議会会議録検索システムを使う
⑥在外公館報告	公使館及領事館報告、外報　のち、在外公館報告	△	外報は海外事情報道
⑦天気	観象：全国気象、全国天気予報、東京地方天気予報、地震報告など	△	予報もあるが実際の天気がわかる
⑧公告（省庁や民間の）	土地収用公告、広告：図書発刊、免状紛失、届出、入札、登記など	×	興味深い記事が山のようにあるが……
⑨一般広告（民間の）	※欄名は版面に印字されない。学術技芸、発明特許、産業奨励がらみの広告	△	1919.4.1 ～ 1941.5.31 目次は 1919 ～ 1939 年分を採録
⑩雑報	雑報	○	1923 ～ 1936 年、のち『週報』へ分離

欄名、項目名は官報から転記したので、そのまま検索語として使えるはずである。また①〜⑩は官報における掲載順でもあるので、自分が開いたページがどこかで、前後へのあたりをつけられるはずだ。今回のフルテキスト化でいちばんユースフルになったのは、【表5-1】目次採録で　×がついている⑧公告（省庁や民間の）部分だろう（引き方は別途、開発するとして、当面は固有名詞で検索するといい）。

　図書の発禁ならば、官報の先頭のほうにある「○告示」欄に「内務省告示第○○号／一××」といった書き出しで記載されるので【図5-2】、「内務省告示」で検索すれば、全文検索でそれがヒットする。

【図 5-2】図書の発禁は「告示」欄に「内務省告示第○○号」として載る

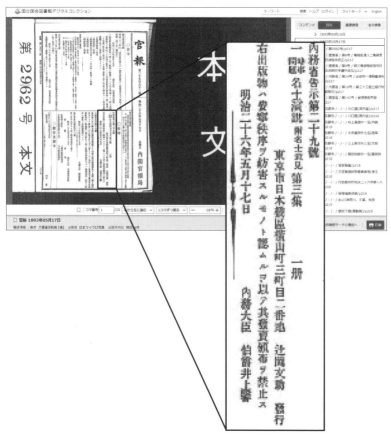

本の問題に固有のフレーズで検索

　また発想を変えて、発禁本の指定に特有の表現「發賣頒布ヲ禁止ス」で検索してみた。当該問題に固有のフレーズで特定するという技法といえよう。すると、図書だけでなく、新聞や雑誌の発禁情報がヒットする。

　当時は新聞紙法が未だ制定されていない段階で、新聞・雑誌の発禁は、「彙報」欄の「司法、警察及監獄」項目で、「○発行停止」として載ることがわかる【図 5-3】。

○發行停止□昨二日發行ノ東京新聞第五號ハ治安ヲ妨害スルモノト認メラ
　レ自今發行停止且ツ同號未配布ノ分發賣頒布ヲ禁止其紙冊ヲ差押ヘラレ
　タリ

【図 5-3】新聞・雑誌の発禁は「彙報」欄＞項目「司法、警察及監獄」＞「○発行停止」に載る

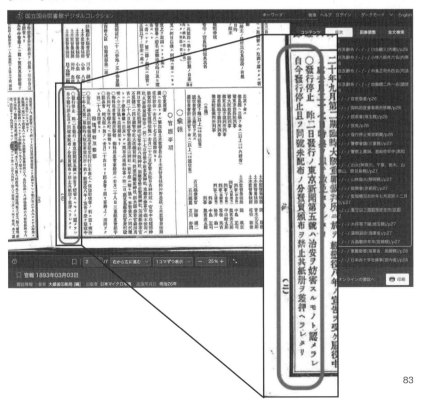

まとめ

　デジコレ官報を有効活用するには、やはりまだ固有名詞的なキーワードで検索するのがよいようだ。【表5-1】にも書いたが、法令はまだ日本法令索引を使ったほうがよいし、それに採録されない告示は、前記のように、あらかじめ求める事柄がらみの欄名、項目名、固有の言い回しなどをゲットしておき、それを検索に使う必要がある気がする。

（おまけ）「官報種別」附録など――職員録は別扱い

　デジコレ官報には他にも特有の「ファセット分類」（文献の主題を時代や場所といった違う見方から整理する分類法）として、号外、附録などの側面で「官報種別」【図5-1】で絞り込みできるようだが、実際に使えそうなのは法令や告示が1か月ごとに一覧できる「附録（官報目録）」だと思う。しかし、法令を探すのであれば、日本法令索引【図5-4】を検索したほうがよいだろう。

【図5-4】日本法令索引

　また、官報附録として重要な政府職員録はNDLにおいて別にコレクション「図書」として整理されており、「官報種別」から直接は行けないので注意されたい。ただし職員録はまだフルテキストなしなので、求める組織の人名は目次から建制順（組織内でのエラさ順）で下りていかねばならない。

・職員録 明治19年（甲）. 印刷局, 明治19 <14.1-50> 官報1049号附録（1886.12.27）

【図5-5】職員録（東京図書館の部分）

　ついでに言うと、図書のうち帝国図書館本の請求記号にはいくつか特徴があり、<14>で始まるものはNDL内で「十四点函」と呼ばれた資料群で、官公庁の年次報告類が分類されていた。「14.1-50」といった請求記号でNDLサーチを検索すると、タイトル等で検索するよりも確実に過不足なく当該シリーズがヒットする（専門的には「請求記号でシリーズ名典拠をコントロールしていた」と言える）。

第6講
ネット上で確からしい人物情報を探すワザ

現代人編

はじめに

　前著『調べる技術』第4講「ネット上で確からしい人物情報を拾うワザ」で、人物情報を探す際には三つの類型ごとに探すと効率的なこと、三類型のうち「半有名人」、それも本を書いたことのある人を探すのに、国会図書館（NDL）の名称典拠データベース（DB）を使うとよいことを書いた【表6-1】。

【表6-1】人物調査の三類型（『調べる技術』より）

	例えば	記載がある資料 （人物文献・人名事典類）	探索ツールや 人物文献の性格
a 有名人	歴史上の偉人 大物政治家 有名タレント 大作家 大官僚	**人名事典** 一般年鑑（の付録人名編） 紳士録 伝記　列伝	総記（汎用）系の代表的なもの レファレンス事典（日外アソシエーツ）
b 限定的 有名人 （半有名人）	政治家・官僚・学者・業界人・社長・重役 タレント 地方名士 著作者 犯人・被害者	**紳士録（人名鑑）** 専門事典、専門人名事典　県別百科、地方人名事典・紳士録、淑女録 職員録（日本政府の） 著作権台帳・NDL名称典拠、新聞紙・週刊誌、官報	専門別・業界別・地域別 同時代の汎用系ツール レファレンス事典（日外アソシエーツ）
c 無名人	普通の人 市井人 一般ピープル	**電話帳** 名簿（職員、同窓会など） **住宅地図** 過去帳（公開反対運動あり）、戸籍（除籍簿。閲覧制限→直系子孫などに限定）、兵籍簿	参考図書と見なされづらいもの 非公刊、灰色文献、公文書、私文書

NDL の名称典拠（=Web NDL Authorities/ 国立国会図書館典拠データ検索・提供サービス。以下、NDL 典拠）は、個人名が 100 万人分登録されている（2024 年 4 月現在）。建前上、日本で本を書いた人は全員が登録されるから、こんなに多い。やはり執筆者情報を中心にデータを採録した人物 DB「WhoPlus」も 82 万人分だという。WhoPlus は契約 DB なので国会図書館の閲覧部門に行っても引けないが（なぜか閲覧部門が契約していない）、NDL 典拠が、姓名の読み、生没年、一部肩書きと参照文献ぐらいで、本当に基礎的な要素しかないのに比べ（もともと本の著者を同定するためなのでそれで必要十分）、WhoPlus は、データの詳細度（生没年だけでなく月日もある）や信頼度、文献への参照などと併せ、日本で最大の人物 DB と言っていいだろう。

　ただ、「これで判る人って歴史上の人物とか戦前の普通人とか、いずれにせよ現役の人たちというより、大過去や少し前の人たちなんだよなぁ」と思いつつ、私は前著で DB を紹介していた。逆に言うと、現役の「半有名人」たちをどうやって調べるか、という部分は手薄だった。現役の人、生きている人についてはプライバシーの侵害に気をつけなければいけないので。

　ところが、たまたまいい資料を読んだので、現役の人物を調べるにはどうするかを書いておく。

参考になる OSINT の本

　この前、熊田安伸『記者のためのオープンデータ活用ハンドブック』（新聞通信調査会、2022）という本を読んでいたら「個人の情報を調べる」と、そのものずばりの章立てがあって驚いた。ちゃんと合法の、むしろ官報など、本来のオープン・ソースを使って調べるやりかたが書いてあった。

【図 6-1】熊田安伸『記者のためのオープンデータ活用ハンドブック』

おおむね現役の、必ずしも本を書かないような役人やビジネス人をきちんと調べるにはどうすればよいか。まさに OSINT（オープンソースによる諜報）である。図書館でレファレンサーがやってきたことも OSINT そのものである。

書物がらみの 4 人を調べてみると、使える DB は……

詳細は熊田著を読んでいただくとして、とりあえず熊田著で知った DB と、私がすでに知っていた DB で、本に関して現役 / それに準ずる A 〜 D の 4 人を調べ、彼らの履歴などがどの程度出るのか試してみた。今回はその結果を分析し、最後にどの DB がどの方向で現代人を調べるのに役立ちそうか考えてみたい。

A は図書館業界で有名な図書館流通センター（TRC）の取締役さん、B は国立図書館で位の高いお役人、C は私もよく行くマンガ専門古書店「まんだらけ」の創業者さん、そして最後 D は私。

結果は【表6-2】のようになったので、この表を見ながら説明する。

表の読み方

次に DB ごとに結果を書くが、URL を書いていない項目は書いても契約 DB なので意味がないか、人文リンク集にリンクがある、あるいは名称でググれば上位に出るものである。

a.自社HP（ホームページ）

自社 HP には略歴は出るが、誕生日は出ない。これは星占いするぐらいにしか使えないデータなので当たり前なのかもしれないが、誕生日が出るか出ないかで人物情報の精密性を測ることができる。

c.ウィキペディア

B 田中はウィキペディアに独立して立項されているにもかかわらず、

【表6-2】書物がらみの4人のDB調査比較

	A 谷一文子 （株）TRC	B 田中久徳 NDL 前副館長	C 古川益蔵 （株）まんだらけ	D 小林昌樹 近代出版研究所
a. 自社HP	略歴あり	略歴あり	略歴あり	researchmap に
b. 自社従業者数	9296（2022年）	888（2020年）	371（2017年）	3（2022年）
c. ウィキペディア	会社の項目に 肩書のみ	あり	ペンネームで立項	なし
d. WhoPlus（日外）	立項	なし	立項	なし
e. NDLA（NDL典拠）	立項	なし	ペンネームで立項	立項
f. EDINET（金融庁）＞全 文検索＞役員の状況	略歴あり （丸善CHI ホールディングス）	なし	略歴あり	なし
g. gBizINFO（経産省）＞ 法人名からのみ	肩書のみ	なし	なし（社長交代）	なし
h. 官報検索！（個人）	11件	9（10）件	4件	0（2）件
i. 異動ニュース（民間）	0件	0件	4件	0（4）件
j. ヨミダス＞記事	0件	8（212）件※	12件	0件
j. ヨミダス＞現代人名録	0件	0件	0件	0（13）件
k. 朝日クロス＞記事	2件	1（7）件	21件	2（13）件
k. 朝日クロス＞人物	0件	0件	0件	0件
l. 日経テレコン＞記事	11件	5（9）件	41件	2（20）件
l. 日経テレコン＞人物情報	略歴あり	0件	略歴あり	0（1）件

※（　）内は同名異人や同一人の著作記事を含んだ件数。

生年月日が記載されていない。C古川は誕生日まで出る。B、Cともに人名読みはある。Aは人物として立項されていない。Dも同様。

d.WhoPlus（日外アソシエーツ）　※契約DB

　A谷一、C古川ともに立項され、特にAは他に出ない詳細な経歴があるのと、名前の固有の読みがわかる。ただし誕生日の記載はない。消息筋によると、人物の職業分野によって外部に出さないこともある、とのこと。

e.NDLA（NDL典拠）

　B田中は自組織出版物その他にいろいろ書いているのに立項されていないのは、単行本に関与していないからである。NDL典拠は立項の基準を単行本に求めているためである。

f.EDINET（金融庁）　トップ>書類全文検索>役員の状況

　「書類全文検索」から個人を探すことができる。本名で引くこと。ヒットした会社の「有価証券報告書」を選んで、その「役員の状況」欄に記載があれば、生年月日と略歴をゲットできる。名前の読みはない点に注意。

g.gBizINFO（経済産業省）>法人名からのみ

　EDINETより収録会社数が多いのが利点。直接個人名からは検索できない。C古川は「まんだらけ」で検索しても人物情報は出ず、かろうじて財務情報（fのEDINETが情報源）に株主として名前が出る程度。従業員数などが厚労省「しょくばらぼ」の連携データで判明するので、人物でなく個別の中小企業の情報を得るのによいDB。

h.官報検索！（個人）　https://kanpoo.jp/

　今回、いちばん意外だったのがこの戦後官報の全文検索DBだった。戦前官報はNDLが無料で、戦後官報は国立印刷局が有料でネット提供している、というのが通り相場だったので。実際に使ってみると、A谷一が経営会社の決算「公告」の一環として、B田中が中央省庁の課長クラス以上の人事異動情報として、肩書きだけだが追える。

i.異動ニュース（民間）　https://relocation-personnel.com/

　今回の事例はやや公務に偏っていたためか、上場の際に話題になった

C 古川以外は出なかった。

j. ヨミダス　※契約DB

　　記事に大量に B 田中の同名異人が出るのは、俳人にこの名の人がいるからである。逆にこの検索事例からヨミダスが俳句もフルテキスト検索できることがわかった。検索ノイズから逆算してその DB の特性を摑むのは重要。

　　本講ネット掲載時に B 田中氏より直に次のような連絡があった。読売にはもっと書いたよと。改めて調べると、確かに児童文学関係の記事が結構あるのだが、この表は「執筆文献」（その人が書いた文献）の数でなく、「人物文献」（その人について書かれた文献）なので少なくなる。

k. 朝日新聞クロスサーチ　※契約DB

　　D 私が 2 件出るのは前著の書評が載ったからである。

l. 日経テレコン　※契約DB

　　今回、現代三大紙の中でさすがと思ったのが日経であった。かつて人物情報で鳴らした大新聞の伝統は、日経テレコンの「人物情報」に引き継がれているようである。

（まとめ）現代人の情報を調べるには

　　前記の実験結果を見ると、次のようにまとめられそうである。

・ウィキペディアが案外使える。特に出典のあるマイナス情報はここにのみ出るようだ。

・ビジネスがらみの人物なら、EDINETを検索するのが必須。生年月日、略歴まで出る可能性がある。また、日経テレコンを近くの図書館や企業図書室で引くべきだろう。できれば都道府県立図書館などで日外WhoPlusも引きたい。

・公共性のあることに関わっていれば、意外と官報検索！が使える。Bの田中のように役人系ならば課長クラス以上を拝命した以降のことが断片

的にわかる。

　新聞 DB で人物項目が当てになるのはまず日経ということになるが、当該人物の記事があるかもしれないので、他の新聞も見るべきだろう。

　もちろん本講も、とりあえずググった先に展開すべき一連の動作、ということになる。実際、B 田中も Google ブックスで検索するとさまざまな記事に出ていることがわかる。

（おまけ）ビジネス系・役人系以外の別の柱、例えばアイドルなど

　以前『図書館人物事典』（日外アソシエーツ、2017）に協力した際に友人の鈴木宏宗さんと共同で、末尾に「人物調査のための文献案内」というパスファインダーを書いたことがある。これが、端的にいって〈役職のない公務員の人物情報を調べるには〉という中身になっていた。

　今回、ほとんどの DB で結果の出なかった D 小林も、実は省庁の役人をやっていたことがあるので、改めて調べるなら B 田中に対し、D 出世しなかったお役人を調べるには、というスジで人物調査をすることになる。出先は知らぬが本省なら係長級以上であれば全員、明治 19 年以来の『職員録』に出るはずである。それゆえ NDL デジコレのフルテキスト化が進めば、D 小林も、1995 年に主題第二係長を拝命して以来の履歴が、直接人名で検索できるようになる（はずである）。

　本講では、ビジネス系や役人系など実務系現役の人物についての調べ方を説明した。一方で、スポーツ選手やアイドル、歌手、芸能人の人物情報についてはニーズが強い割に、レファレンス・ツールが限られている（本書第 7 講参照）。学者系だと現在はネット上に「researchmap」があるが、古い時代はその前身と言うべき冊子の『研究者・研究課題総覧』（日本学術振興会、1979 〜 1997）などを使うことになる。

第7講
推し活！──アイドルを調べる

『推しの子』

人気アニメ『推しの子』を見ていたら、作中人物の黒川あかねが、前世代アイドルの人柄について調べるため、国会図書館（NDL）にしか見えない図書館で文献調査をし、プロファイリングする場面【図7-1】が出てきた。私は、まさにこの場所（旧・目録ホール）で案内役をやって

【図7-1】NDL 端末を使うの図（アニメ『推しの子』第7話17分頃）

いたので、この子はちゃんとデータベース（DB）「Web OYA Bunko」（以下、ウェブ大宅）を案内してもらったかしら、とちょっと心配になってしまった。NDL 館内 PC の初期画面から館内でだけ見られる専門の DB へ飛ぶには、まだ案内役が必要だと思うので。

「そういえば前著『調べる技術』で索引項目に「アイドル研究」があったな」と思い出し、手元の本を引いてみたら、自分の記憶に反して第4講「ネット上で確からしい人物情報を拾うワザ」でなく、第7講「その調べ物に最適の雑誌記事索引を選ぶには」が出てきた。もちろん、黒川あかねは雑誌記事索引のうち「ウェブ大宅」を検索したに違いないので（結果場面のプロファイリング・メモの量が多大なことから推察）、アイドル研究≒雑索を使う、で問題ないのだが、果たして黒川あかねは真の意味でまんべんなく調査できたろうか？　国会図書館へ行ったとしても、その蔵書目録 NDL サーチを引くだけでは調査不足なのだ。

アイドル文献の特性──山のようにあるのに結構引けない

　アイドルは、私の提唱する人物調査における三分類（本書第6講を参照）で「半有名人（限定的有名人）」にあたるが、なんというか、ふつうの半有名人とも調査上、違う特性があるように思う。一つには文献はたくさん出版されるのに、その検索がとてもむずかしいというちぐはぐさだ。さらにまた、ふつうの半有名人は、その肖像を探すのが意外と難しいのに対して、アイドルの場合、肖像だけは山のように出ること。あまつさえ、1冊まるまる肖像だらけの写真集まで何冊も出る場合もあるのも、政治家や作家、ライターなどと極端に違うところだ。そしてたくさん出たはずの写真集を図書館で閲覧するのはやはり結構難しいことも。

　ひとことで言って、むやみやたらに「ある」のに「引く」には予備知識がいろいろ要るのがアイドル文献なのである。

アイドル調査のニーズは強い

　純粋に「推し活」をするにせよ、サブカルチャー研究をするにせよ、アイドル文献・情報の見つけ方・調べ方が書かれてもいいように思う。

　そもそも、普通の人がマジでガチに調べ物をする場面というのはそう多くない。大抵の疑問は周りの人たちに聞いて、分からなければそれで終わり。ガチの調べ物は、事故や相続、離婚など紛争を伴う法律がらみ、病気など健康情報、お金に直結する仕事がらみ、ファミリーヒストリーの先祖調べといったものに限られる。と思っていたが、もうひとつ、「推し活」のアイドル研究もそうだったと気づいた。

　ふつうの人が仕事・宿題以外で、マジでガチに調べたいと自発的に思うのが推し情報なのである。

　そもそも、日本でアイドルは1970年代に出てきたものだという（田島悠来編『アイドル・スタディーズ』明石書店、2022）。純然たる歌手や俳

優は、音楽家調査、俳優調査として音楽学や映画研究の文脈で解説したほうがよいと思うのでここでは扱わない。また韓流や欧米のアイドルはかなり違う結果になるだろう。

DB 実績調査──木村佳乃さんの場合

どんな DB がアイドル研究に使えそうか、ベテランならばなんとなく知ってはいるのだが、今回はそれらが実際にどの程度役立つか、出る情報のタイプごとに件数を出してみた。

【図7-2】木村佳乃ファンクラブ会報『SOLEIL（ソレイユ）』（筆者所蔵）

具体的には、現在、女優として活躍する木村佳乃（1976 ～）を事例にした。理由は、彼女がアイドルだった頃、自分がかつてファンクラブに入っていたのと、会話をしたこともあり（1 回だけね）、多少詳しいからだ。ウィキペディアによると彼女は「職業　女優・司会者・声優」とのことだが、私の記憶ではアイドルであった。

年代的に動画メディアの変遷期と彼女の活躍期が重なるので、情報タイプごとの差が結果に出やすいからでもある（例えば、VHS と DVD 両方出るなど）。

経験的に役立つことが分かっていた 20 種の DB を検索した結果が【表7-1】である。それぞれの DB で、どんなタイプの文献・資料がたくさん出るか見ていただきたい。

ヨコ軸が関係 DB で、タテ軸が各種の文献・資料である。一見して、肖

像系の文献は物販系やオークション系サイトで求めるのがよく、情報系は
その道で伝統あるウェブ大宅に求めるのがよさそうなことがわかる。以下、
DB を個別に見ていく。

アイドル研究に使える DB いろいろ

　20 点の DB それぞれについて解説するが、全部一度に憶える必要はない。
前著でも言ったが、個々の DB を憶え込むのは能力の無駄遣いで、むしろ
「こういった（種類の）DB があるのだな」と系統を憶えておくのが調べ
のノウハウだ。個々の DB は突然滅びたり出現したりするので、系統を意
識するほうがノウハウとして機能する。

　例えば「クリッピングっていうサービスを提供するテレビの DB がいく
つかあるな。NHK 特化とそれ以外に分かれる傾向か。テレビ、ラジオ関
わらずドラマは別格で採録されるのね」と、人文リンク集のテレビ・ラジ
オの項目を見て、感じておく。

　今回、総合目録系で NDL サーチを使ったが、同系統なら CiNii ブック
スの結果はどうだろう、と作業を拡張させることもできよう（2024 年 1
月の新 NDL サーチで、CiNii との連携が果たされ、ある程度サーチだけで
済むようになった）。

　各 DB の URL は前著第 3 講で説明した NDL 人文リンク集を参照すること。

百科辞典系（人名辞典系でもある）

　百科辞典 / 事典には人名辞典の項目もある。これまで芸能人の調査には、
専門人名鑑『日本タレント名鑑』（1970 〜）、『TV スター名鑑』（1992 〜）
を使ってきたが、立項されてさえいれば、ウィキペディアのほうが情報量
が圧倒的に多いものであるようだ。もちろん、立項がなければ専門人名鑑
に戻らねばならない。

【表 7-1】専門DBにおけるアイドル情報の出現件数（木村佳乃の場合、2023.8.20 現在）

データベースの系統→ メディアのタイプ↓	百科辞典系	総合目録系		雑誌記事索引系			物品販売系（本，古本）				オークション系			番組クリッピング系					新聞DB系	
	① ウィキペディア	② NDL	③ ざっさくプラス	④ Web OYA	⑤ Fujisan	⑥ NDLデジコレ	⑦ アマゾン	⑧ 日本の古本屋	⑨ カルチャーステーション	⑩ 駿河屋	⑪ ヤフオク	⑫ メルカリ	⑬ テレビ出た蔵	⑭ TVガイドweb	⑮ 放送ライブラリー	⑯ NHKクロニクル	⑰ テレビドラマDB	⑱ ラジオドラマ資源	⑲ 読売新聞	⑳ 朝日新聞
映像系 a 写真：ブロマイド，フォト	2	0	·	·	·	·	0	0	0	0	2	0	·	·	·	·	·	·	·	·
b 写真集	3	2	·	·	·	·	2	2	6	6	55	100+	·	·	·	·	·	·	·	·
c カレンダー	0	0	·	·	·	·	5	0	15	22	9	6	·	·	·	·	·	·	·	·
d ポスター・中吊り	0	0	·	·	·	·	9	3	10	0	51	40+	·	·	·	·	·	·	·	·
e 金券：テレカ等	0	0	·	·	·	·	46	0	20	23	244	4	·	·	·	·	·	·	·	·
f タテカン・パネル	0	0	·	·	·	·	0	0	0	0	0	0	·	·	·	·	·	·	·	·
g 切り抜き	0	0	·	·	·	·	2	0	0	·	189	120+	·	·	·	·	·	·	·	·
h 記事情報	80	40+	21	911	258	370+	57	40+	115	9	4	80+	·	·	·	·	·	·	281	313
文献系 i ファンクラブ会報	0	0	·	·	·	·	0	0	0	4	5	1	·	·	·	·	·	·	·	·
j 書籍/伝記	0	0	·	·	·	·	0	0	0	0	0	0	·	·	·	·	·	·	·	·
報系 k チラシ・パンフ・カタログ	0	0	·	·	·	·	6	0	3	14	200+	3	·	·	·	·	·	·	·	·
l 同人誌	0	·	·	·	·	·	0	0	0	0	200+	0	·	·	·	·	·	·	·	·
動画音系 m DVD	·	100+	·	·	·	·	159	2	·	291	478	110+	·	·	·	·	·	·	·	·
n オーディオブック	0	0	·	·	·	·	2	0	0	0	0	0	·	·	·	·	·	·	·	·
o ビデオ	11	36	·	·	·	·	52	0	0	0	21	30+	·	·	·	·	·	·	·	·
p CD	45	·	·	·	·	·	9	4	0	43	62	100+	·	·	·	·	·	·	·	·
q テレビ番組	37	·	·	·	·	·	4	11	·	·	[190]	[200+]	1610	62	10	2450	184	·	·	·
声系 r 映画	38	·	·	·	·	·	11	·	·	·	[567]	·	·	·	·	·	·	·	·	·
s CM	2	·	·	·	·	·	·	·	·	·	[22]	·	·	·	0	·	·	·	·	·
t ラジオ番組	9	·	·	·	·	·	·	·	·	·	[0]	·	·	·	·	7	0	·	·	·
u 舞台	·	·	·	·	·	·	·	·	·	·	·	·	·	·	·	·	·	·	·	·
v 音声ガイド，声優	14	·	·	·	·	·	·	·	·	·	·	·	·	·	·	·	·	·	·	·
グッズ w グッズ：ファイル，うちわ	·	0	·	·	·	·	4	3	·	2	1	1	·	·	·	·	·	·	·	·
DBのメモ	h は脚注の数分	記事に JPRO分	人名件名検索だと 555	人名件名検索だと 555		1995年まで（ラ，分類同［同姓同名］「名の歌人」 q/はマママで，ホビーコレクション が不能）					映像に重複含む，ジャンル分類「c に芸能誌，スポーツ誌」，[200+]はKW検索あり／検索不能		採録 2010.4.15~年~	採録 2018年~	採録 1946年~	採録 1951年~	採録 1940年~	採録 1925年~		

※数値表記やメディアタイプについては末尾の補足を参照のこと。

①ウィキペディア

　人名項目のフォーマットがあるのだろう、ウィキペディアの木村佳乃の項目がいちばんフィルモグラフィー（出演作リスト）もディスコグラフィー（楽曲リスト）もしっかりしている。熱心なファンがどれだけ編集するかにかかっているが、ここで情報が出ないものは、登場カレンダーやトレカなどエフェメラ（消耗品）や、ファンクラブ会報や同人誌、グッズ類に限られそうだ。

　契約DBだからネットでふつうの人は検索できないが、人名DBのWhoPlus（日外アソシエーツ）を検索すると、書かれた記事（人物文献）170件、書いた（インタビューされた）記事が10件ほど出る。また、WhoPlusの縮約冊子版が同社刊の『現代日本人名録』（1987〜2002）だ。古いアイドルなどはこの冊子で出ることもあるので、WhoPlusを未契約の図書館（例えばNDL一般閲覧部門）ではこの冊子を引いてみるのもよいだろう。

総合目録系

　図書館、それも多数の蔵書目録を一括で検索できるのがこの種のDBだ。大学図書館系のCiNiiブックスもあるが、アイドル文献は公共図書館系のほうが多いようだ。

②NDLサーチ

　検索窓直下の「全国の図書館」というチェックボックスにチェックが入っていると、総合目録のデータが引っかかるようになる。図書館でいわゆる「図書」扱いになる写真集ぐらいしか出ないかと思っていたが、意外と記事情報がそこそこ出る。これは最近、記事情報がJPRO（出版情報登録センター）という外部DBから足されたかららしい。それ以外はどこかの図書館に所蔵されているもの。

雑誌記事索引系

　NDLが元祖の雑索だが、他社のものを含め、従来の雑索はアイドルな

どの軟派記事にとても弱かった。

③ざっさくプラス

　契約 DB。戦前記事や文芸に強いが、今回の結果だと芸能系には弱いということになろうか。

④ウェブ大宅

　契約 DB だが、古くから芸能記事ならこれというのが定評。実際には思った以上に芸能記事が採録されていた。大宅壮一文庫（八幡山、東京都世田谷区）へ行けば確実に見られるし、NDL へ行ってウェブ大宅を検索すれば、NDL 所蔵分を閲覧できる。近年の人物記事だけは『大宅壮一文庫雑誌記事人物索引』（2010 〜）にリスト掲載されているので、契約していない図書館ではこれを手がかりにすることもできる。

⑤Fujisan.co.jp

　雑誌販売サイト。趣味や生活の雑誌目次を広く検索できるのはここだったりもする。買えないバックナンバーは NDL で閲覧・複写する（掲載誌や巻号が分かれば遠隔複写も申し込める）。検索した後で「目次」を選択する。

⑥NDL デジコレ

　明治から 2000 年までの雑誌が自宅で閲覧できるはずだが、戦後の市販誌の多くは本文の検索だけ。それゆえ戦後雑誌については全文 DB というより記事索引 DB として機能している。版面は NDL へ行って見ることになる。同種の全文 DB としては Google ブックスがあるが、「" 木村佳乃 "」で検索すると単行本を中心にいろいろひっかかる。ノイズが多いが、読みたい候補が見つかれば NDL へ行って閲覧することになる。

物品販売系（本、古本）

　どのような専門ジャンルであれ、専門 DB が見当たらない場合、専門販売サイトが専門情報 DB として使えないか検討してみるとよい（拙著でいう「として法」）。例えば「建築作品インデックス」で、ただで引けるものが見当たらない場合、建築専門古書店の販売サイトが替わりに使えないか考えてみる（例 . 南洋堂書店）

⑦アマゾン

商品分類ごとにキーワード検索をかけるのが、アイテムの種類別で検索する王道ではある（例えば「本＋木村佳乃」）。しかし、一部の商品分類（例えば、「ファッション」や「ホビー」）と「木村佳乃」で検索すると、アマゾンプライム配信の番組表が出てきてしまう。おせっかいな検索システムだ。

⑧日本の古本屋

以前はもうちょっと芸能雑誌も出たような気がしたが、最近、古雑誌類の商流がオークションサイトに流れているのかもしれない。

⑨カルチャーステーション

八幡山駅から大宅壮一文庫に行く途中に出現する「女性アイドル・芸能人グッズを販売・買取する専門店」がカルチャーステーションだ。立地が推し活における両者の親和性を物語る。その販売サイトは品切れ分も表示できるので調べ物によい。

同種の古書店に荒魂書店（神保町、東京都千代田区）があり、横断検索機能はないがアイドル名から一覧表示できるサイトを持っている（例えば木村佳乃ポスターリスト）。

⑩駿河屋

サブカル一般の販売サイトで「まんだらけ」もあるが、ここでは新興の駿河屋を検索してみた。カメラなどのカタログ（ネット以前、有名人・アイドルは奢侈品の販売カタログに登場）が多くでるのは仕入れ方針によるものか。

オークション系

図書館界では皆、及び腰なのだが、eBay など競売サイトもレファレンス・ツールとして使える。競売サイトを書誌DB、博物館カタログとして使う法である。正体不明の欧米風習「ファースト・シューズ」を調べた際に役立ったことを憶えている。

⑪ヤフオク

チラシ、パンフ、カタログなどエフェメラ（紙もの）一般がいちばん多く出品されていたのが伝統ある通称「オク」である。DVD なども多いの

で、木村佳乃に限らず出演リストを作るのにデータを応用できるだろう。
めずらしいファンクラブ会報もたまたまだろうが出品されていた。落札品
はデータ消去されるので、過去データを参照するサービスが別会社である。
と、いまその一つ、オークファンを見たら2013年以降の出品データが参
照できるので、調べ物にはこちらがよいかも……（要検討）。ヤフオク自
体にも、過去180日の落札品を表示させる機能が付いている（一度検索し
て結果一覧の右肩「「木村佳乃」の落札相場を調べる」をクリックする）。

⑫メルカリ

　新興のメルカリはテレカなどやや古めの商材がオクより少ない傾向であ
る。また商品分類が粗すぎるように思う。切り抜きに夕刊紙・スポーツ紙
がけっこう出るのは、たまたま仕入れた業者がいたからだろうか。この手
の文献は検索不能なので情報は貴重。

番組クリッピング系

　虚空に消える放送番組。そのまとめ記事を新聞切り抜きにちなんで「ク
リッピング」という。番組メタデータと言ってもよいだろう。アイドル研
究には欠かせないが、調べるのは意外と難しい。

⑬TVでた蔵

　図書館界では誰も教えてくれないので、数年前、自分で見つけて驚いた
サービス。どうやらもともとは広告主向けの商売らしいのだが、副産物と
して広く調査者にクリッピング内容を提供してくれている。このサイトで
検索すると「送信しようとしている情報は保護されません」と出るので「こ
のまま送信」する。Googleカスタム検索を利用しているらしく、Google
が取りこぼしたページだと同じ番組でも違う回が出ない場合がある。その
場合は別途、放送年月日をつかんで、「放送日時から番組表を選ぶ」で日
次の番組表を出し、クリックする。

　ドラマ以外の、ニュースやバラエティなどを検索するにはこのDBが頼
りになる（ただし関東圏のみ）。一定年限で番組データが非公開になって
しまうのは残念。

⑭ TV ガイド web

2018 年以降の TV ガイド記事を拾えるらしい。情報が多すぎる人物の場合、代表的な番組をリストアップするのに使えそうだ。

⑮ 放送ライブラリー

以前からあった気がするがデータ内容が充実してきたようだ。代表的なものだけだが、古くからの民放番組やラジオ番組も出ること、なによりCM が出るのが特徴。なつかし系 CM は以前、YouTube に上がっていたものが多かったが、今はどうだろう。

⑯ NHK クロニクル

放送業界で NHK は別格官幣大社みたいなものなので（たとえが古すぎるか）、『ラジオ年鑑』（1931 〜、のち『NHK 年鑑』）の昔から、番組も経営もかなり詳しく情報公開されている。木村佳乃の事例でも、数少ないラジオ番組の出演実績が出ている。

⑰ テレビドラマ DB

篤志家による個人の DB。UI の妥当性といい、典拠資料の確実性といい、本当に模範的なボランティアサイト。これを見ると、個人の HP だから参照先にしない、という図書館界の慣例は、必ずしも妥当でないことが身にしみる。

⑱ ラジオドラマ資源

テレビドラマ DB 同様の価値がある。感謝。

新聞 DB 系

新聞系はほとんど契約 DB でふつうは閲覧できない。ここでは私が大学経由でよく使う 2 つだけを見てみたが、日経や毎日、中日なども広く探す場合には検索してみるべきだろう。NDL に行けばほとんど見られるはず。

⑲ 読売新聞

契約 DB。DB の固有名は「ヨミダス」。

⑳ 朝日新聞

契約 DB。以前は「聞蔵 II」という固有名だったが、最近「朝日新聞クロスサーチ」と名前が変わった。

（まとめ）アイドル研究はウィキペディアを起点に

　木村佳乃は長期的に活動し、かつ女優業以外にも進出している人物であるため、例えばテレビ出演に関して網羅的な⑬テレビ出た蔵だと情報が多くなりすぎる。長期に活動した人物であればウィキペディアに立項される傾向にあるので、そこの出演リスト（or フィルモグラフィー）が要約的リストとして使えるので参照すべきだろう。

　逆に短期間しか活動しなかったアイドルの場合、テレビ出た蔵の詳細性は使えるはず。また、この種のアイドルだとウィキペディアに立項されていないかもしれない。その場合は前記で述べた『タレント名鑑』などを元に情報を集めることになる。文献情報系ではウェブ大宅と NDL デジコレが役立つだろう。肖像が欲しければオークション系で切り抜きやカタログを集めると、写真集以外のレア肖像（？）が入手できるだろう。

　ファンクラブ会報はある種のレア文献だが、やはりオークション系で入手するしかないようだ。存在は古本販売かオークション系で情報を得られる。

　結局、趣味の調査・研究では改めてアイドル研究におけるウィキペディアの重要性が確認されたように思う（以前からオタク系項目は日本語版でもしっかりしていると定評があった）。この先、調べ物でウィキペディアは避けて通れない。無批判に信用するのは論外でも、そのメリット・デメリットをしっかり意識して使うことが必要になってくる。

　また今回、女性アイドルで考えてみたが、男性アイドルの場合は結果も変わるだろう。海外アイドル、例えば韓流スターなどでは別の探し方があるだろう。本講を参考に自分の推し活を試みてほしい。

（補足）アイドル情報出現件数表の見方、あるいはアイドル資料論

　本講のようなことをマジメに行う人も少ないと思う。せっかくなので【表7-1】をくわしく解説しておく。メディア論でもあり、アイドル資料論でもある。

基本的なことがら

ヨコ軸は各種DB

　横軸が20種のDBで、適宜、6つの系統に分けてある。

タテ軸はメディアのタイプ

　アイドル研究の情報源といったらどのようなモノを思いつくだろうか？取材記事？　グラビア？　肖像であれ文字情報であれ、そういったアイドルのことが載っているメディアをタイプ別に並べてみた。ウィキペディアの人物項目の細目や、ヤフオクの商品分類を参考に、自分の持っているモノを加味して作ってみたアイドルメディアの形態分類である。

　動画音声系で、DVDと映画、テレビ番組といった物理形態と表現形式で競合ないし重複があるが、そこはご愛嬌。

数値について :0、「・」、「+」

　表内の数値はヒットした件数である。オークション系は同じアイテムが複数出るなど、件数が多くなる傾向になる。物販系は「⑧日本の古本屋」を除き、アイテムのアイデンティファイはできている傾向にある。

　数値の「0」は出てもよさそうなのにノーヒットだったという意味だ。ただ「j著書/伝記」は法定納本と連動している「②NDLサーチ」に出ないので、もともと出ていない可能性が大である（私の記憶でもそう）。

　「・」は、そのDBではもともと扱わないメディア形式と思われ、検索もしていない（ことが多い）もの。対して「0」は出てもよさそうなのに、2023年8月20日現在、ノーヒットということである。

　「[ ]」の数値は、サイト側で用意された分類がうまくいかないので「木村佳乃　テレビ」などと単純なキーワード検索をかけた数値である。あまり自信がない。

アイドル・メディアのタイプ別詳説

　表のタテ軸、メディアのタイプについて説明する。昔風に言えば図書館資料論である。

a. 写真：ブロマイド、フォト

　肖像そのもの。昭和戦後期はブロマイドとしてブロマイド屋で販売されていた。ウィキペディアにはクリエイティブ・コモンズのものが転載されている。

b. 写真集

　アイドルの場合、ほぼ必ず出版されていた。最近は電子本オンリーも近年増えてきたが。図書館だと写真集は純粋（？）娯楽として選書段階で忌避される。NDLに包括的納本の一環で収蔵されるほかには、国際日本文化研究センターのコレクションがあるくらいだ。

　例外的に受容されたものとして、篠山紀信撮影『Santa Fe：宮沢りえ』（朝日出版社、1991）がある（NDLにある出版史コレクション布川文庫の同書＜請求記号 VG1-H10878＞には、当時の受容をめぐっての議論が新聞切り抜きという形で挟み込まれている）。

　書誌データ上、本来なら被伝者としてアイドル名が件名標目に立つべきだが、NDLでは伝統的に写真集に人名件名を付与してこなかった。ただし、2016年頃から非統制件名を付与している（流通系MARCデータからの流用か）。1969年からのNDLC分類では、Y84、Y85、Y88、KC726などに付与実績が分散している。近年ではY89（2002年〜2020年）が付与されていたが、2020年からY94（簡易整理資料＞その他、2000年新設）に放り込まれてしまっている。NDC分類748と人名のand検索で見つけるとよいだろう。

c. カレンダー

　大判と卓上のものがある。カレンダー出版史研究はまだないがこれから必要だろう。

d. ポスター・中吊り

　大判ポスターは企業広告の一環で生産され、関係小売店などへ無料頒布される。当時は非売品であることが多い。週刊誌のグラビアや表紙に出るアイドルの場合、週刊誌自体の広告である中吊り広告にも肖像が出る。電車の中吊りはここ十年ですっかり衰退した。自治体の啓発ポスター

にもアイドルが起用されることがある。

e. 金券：テレカ等

　テレフォンカードは1970年代の郵便切手同様、コレクションの対象になり、1990年代にはかなり高い相場をつけるものもあった。

f. タテカン・パネル

　アイドルならではの資料。立て看板（タテカン）には全身の肖像もある。大判ポスター同様非売品。

g. 切り抜き

　アイドルならでは、特有の商品形態で、雑誌や新聞の記事を切り取ったもの。英語ではクリッピングという。古書業者その他が仕入れた雑誌・新聞から生産したり、あるいはやはり古書業者がアイドルファンが作成していたものを売ったりする。オークション系にはここ十年くらいで出てきた比較的あたらしい情報源。出典が不明なことが多いが、記事という検索しづらいものの存在を知る重要な手がかりでもある。クリッピングサービスは明治期から新聞紙を切り抜いた配信があり、その時代の訳語「切り抜き」が現在まで使われている。雑誌の場合は切り「抜き」でなくページ単位の切り取り形態である。

h. 記事情報

　雑誌や新聞の記事情報、タイトル、掲載誌名、巻号、年月日などである。これをたどって、NDLで参照・複写したり、古書市場で当該号を買うことができる。

i. ファンクラブ会報

　自分はたまたま持っていたので絶対にあるはず、という前提で検索をかけてみた。出ていたという情報自体、見つからないものである。

j. 著書／伝記

　「タレント本」というジャンル名になろうか（1980年代に広まった言葉らしい）。アイドルなどタレントが著者、あるいは被伝者の図書のことだ。インタビュー本は図書館のデータだとインタビューされた人が著者扱いになる。木村佳乃の場合、どうやら1冊もないようだ。ないこと

の証明は難しいが、私の記憶でもない。

k. チラシ・パンフ・カタログ

　古書業界語でいう「紙もの」、図書館学用語で「エフェメラ」（一過性資料）と総称される資料である。意外とカタログが保存されない傾向があり、古書市場にもあまり出ないように思う。

l. 同人誌

　理論上ありえるので立項したが、木村佳乃の同人誌はないのではなかろうか。「合理的」な検索手段がほぼない。理屈上は NDL へ登館して『コミックマーケットカタログ』（1982 〜）を全部めくるべきなのだろうが……（一度、やってみたい）。

m.DVD

　映画、テレビ番組がパッケージ系メディアとして商品化されたもの。箱や付属の冊子に情報が書かれていることがある。

n. オーディオブック

　アマゾンでのみ見つかった。

o. ビデオ

　写真集とセットの VHS が出ていた。

p.CD

　20 年ほど立つといきなり聴けなくなることがある。保存性が悪いことは 1980 年代の発売当初から言われていた。

q. テレビ番組

　⑬テレビ出た蔵、⑯ NHK クロニクルが圧倒的な採録数である。ドラマ以外の番組を調べるのが難しい。放送番組の台本については「u. 舞台」の項を参照のこと。

r. 映画

　専門誌も古くからあり、国立映画アーカイブもあるので相対的に調べやすそうだが。

s. CM

「e. テレカ」と連動していると思われる。テレカ情報から CM の存在を知ることもできよう。

t. ラジオ番組

テレビ出演は多いのにラジオ出演は僅少なのはなぜだろう？ 木村佳乃個人の好みか、事務所の方針か。

u. 舞台

将来的には台本などが資料として残されるはずである。台本（脚本）の保存は NDL がやっており、NDL リサーチ・ナビに「脚本・シナリオを探す」があるが、いずれにせよ出演作のタイトル等を先につかんでおく必要があろう。

v. 音声ガイド、声優

ウィキペディアくらいでしかすぐにはわからない情報である。DVDやフィルモグラフィーから抽出される情報であろう。

w. グッズ：ファイル、うちわ

クリアファイル（むしろフォルダ？）やうちわがあると分かったが、私が持っているサイン入り（ただし印刷）傘【図 7-3】が出ない。実態上存在するのにネットで存在すら判らないものというモノもあると分かる。個々の DB の特質を知るのに、知悉する主題を選んで実際に検索をかけてみるのが有効だと知れる次第。

最近知ったのだが、明治初期の書籍館（帝国図書館の前身）は扇子も所蔵していたと蔵書統計に出ていた。文字が印刷された扇子が納本されていたようである。

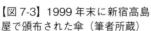
【図 7-3】1999 年末に新宿高島屋で頒布された傘（筆者所蔵）

第8講
小さなお店の歴史を調べる
── ある模型店を事例とした生活史

模型店ピンバイス（1977 〜 2023）を事例として

　自分はたまたま試験に受かったの
で日本国、というか立法府に奉職
したが、親はブルーカラーで出発
し、途中「脱サラ」して小商店主で
一生を終えた。そこで、ここでは私
の親がやっていた模型店「ピンバ
イス」【図8-1】を題材に、どんな資
料やデータベース（DB）を調べれ
ば、小さな商店の沿革や活動内容が
わかるか説明する。ファミリーヒス
トリーなどで、商業登記などしてい
ない屋号だけの小売店、小企業を調

【図8-1】模型店ピンバイス（2004年）

べなければならないこともあるだろう。そういった場合にこんな方法もあ
ると読者に知ってもらえれば幸いだ。

市井の人を調べるのに近い──ファミリーヒストリー

　前著『調べる技術』第4講で、人物調査をする場合には、「a.（超）有名人、b. 限
定的有名人、c. 無名人」の三つに分けて探索すると良いと説いた【表8-1】。

その際、無名人について手段は「なくはない」としつつ、説明しなかった。というのも使える公刊資料が少ないのと、ニーズがあまりなかったからである。

　ところがNHKの番組『ファミリーヒストリー』（2008年～継続中）の影響で、cの無名人（＝ふつうの人、市井人）を調べるニーズが喚起されつつあるので、保護されるべき「個人情報」ではない、公知の情報でどこまで調べられるかということが「調べる技術」にとって重要になってきた。今回は小商店の調べ方だが、有名でないという点で無名人の調べ方に似ている部分がある。

【表8-1】人物調査の三類型（『調べる技術』より）

	例えば	記載がある資料 （人物文献・人名事典類）	探索ツールや 人物文献の性格
a 有名人	歴史上の偉人 大物政治家 有名タレント 大作家 大官僚	**人名事典** 一般年鑑（の付録人名編）　紳士録 伝記　列伝	総記（汎用）系の代表的なもの レファレンス事典（日外アソシエーツ）
b 限定的 有名人 （半有名人）	政治家・官僚 学者・業界人 社長・重役 タレント 地方名士 著作者 犯人・被害者	**紳士録（人名鑑）** 専門事典、専門人名事典　県別百科、地方人名事典・紳士録、淑女録 職員録（日本政府の） 著作権台帳・NDL名称典拠、新聞紙・週刊誌、官報	専門別・業界別・地域別同時代の汎用系ツール レファレンス事典（日外アソシエーツ）
c 無名人	普通の人 市井人 一般ピープル	**電話帳** 名簿（職員、同窓会など） **住宅地図** 過去帳（公開反対運動あり）、戸籍（除籍簿。閲覧制限→直系子孫などに限定）、兵籍簿	参考図書と見なされづらいもの 非公刊、灰色文献、公文書、私文書

　資料をとりあえず大きく2つ、公刊物、非公刊物に分けると、公刊物には図書、雑誌、新聞などが該当し、非公刊には公文書、私文書が入るだろう。公文書の一種、戸籍は1980年頃まで誰でも閲覧でき、人物事典や著作権調査に使われていたが、その後、直系の親族しか閲覧できないようになっている。私文書には、日記、手紙、手記、写真アルバムなどがあり、ふつう見られないが、一部、自費出版などで公刊される場合がある。

どんな資料に情報が載るか——出そうにない事柄を調べる場合の心がまえ

　以下、ありふれたものから特殊なものの順で説明する。ただ、その前にちょっと言っておくと、こういった、いかにも出そうにないような事柄を調べる場合にどのように自分が探索戦略をイメージしているかというと、〈最初にどんな媒体ならそれが載りそうかを考えて、それが検索できないか後から検討している〉のである。逆に言うと、それを探すのになにが検索できそうかを先に考えるのではなく、それが活動していた頃、どんな媒体になら記録が残るだろう？　とまずは考える。一通り考えた後で、それは現在引けるか引けないかを考えるのだ。仮に〈同時代資料想定法〉と名付けるが、このことと現在引けるか否かは、NDL デジコレのように、刻々と変わるので別に考えたほうがよい。資料想定には自分の古本趣味が役に立っているが、読者も古本市など（できれば古書会館の週末古書展）に通えば感覚を身につけることができるかもしれない。

　この手法はどんな事柄でも普遍的に有効で、それが現役だった時代の業界慣行、一般メディアの状況といったことを考えながら調べものをしていくと、意外な資料がツールとして使えそうと判ったりする。例えば明治初め、まだ図書館が日本になかった時代が 5 年ほどあった（帝国図書館本が形成された初めは明治 8 年）が、そういった明治初年代の本についての情報を調べるのに新聞広告を使う、といった発想は可能で、実際そのものズバリの DB も開発されたことがある（明治期出版広告データベース、2022 年 3 月に事実上停止）。

　模型店ピンバイスの場合、親の経営だったので、昭和後期から現在にかけてどのような媒体に情報が出たか私も経験的に知っている。そして、それを現段階でどう検索できるかを考えているので、現在検索できない情報源についても説明できるという次第だ。

エフェメラ資料

　ここで紹介する公刊資料はありふれたものなのだが、ありふれすぎて保存されない種類の資料が多い。こういった、秘密でもなんでもない資料だ

が、保存されないものを専門的には「エフェメラ」（一過性資料）という。本講で紹介する電話帳はその代表である。

　エフェメラは郷土資料であれば各地の県立図書館などに保存される。ただ各県をまたいで保存するとなると、やはり東京にある国会図書館ということになる。もともとエフェメラはタイトルなど書誌事項が明確でないこともあり（「電話帳」の正式名称は「電話番号簿」だったり）、参考までに資料名の末尾に国会図書館の請求記号を付けておいた（書誌事項末尾＜＞内）。

　またここでは趣味の雑誌も紹介する。昭和後期から平成期に「雑誌の時代」と言われたように、雑誌は非常に重要な資料なのだが、学術雑誌以外をまともに保存する機関が国立図書館ぐらいしかない（あとは大宅壮一文庫）。ちなみに書誌事項内で「[1967]-」といった角ガッコ内にくくる表記法は推定を示す図書館業界の記述法である。創刊号が欠号なので巻号から単純に逆算すると、おそらく1967年創刊だろうと推定したという意味。

電話帳
——「街の○○屋さん」を調べるツール

　現在は厚さ数ミリの簿冊になって見る影もないが、昭和後期には厚さが5センチ近くもあり、同時代人にはあまりに当たり前すぎて（ただで現地の分が契約者に個別配布された）、これが重要なレファレンス・ツールであると意識されていなかった。大きく「タウンページ」（職業別電話帳）【図8-2】と「ハローページ」（五十音順電話帳。現在は発行終了）のシリーズに分かれる。ここで使うのはタウンページのほう。

　東京圏なら永田町の国会図書館で閲覧するのが簡便ではある。各県分もあ

【図8-2】タウンページ（外見）

るし、例えば次のようなものがある。

・『東京23区電話帳：職業別：昭和52年12月1日現在』東京電気通信局, 1978 <Y69-東京-123>

模型屋を探すには、巻頭にある索引で「模型（標本を含む）」の項目（p.721）を探し出す。問屋、小売店などとりまぜて数百店舗が店名の五十音順で並んでいる（「五十音順」とあるが、本当に読みの五十音順ではなく、頭文字の五十音順であることは前著第8講を参照）。ただしこの年代だと模型店ピンバイスは掲示されていない。おそらく掲載が有料だからだろう。

【図8-3】タウンページ（中身）

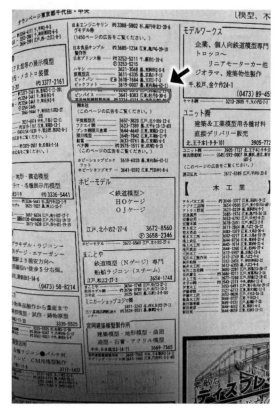

・『東京都23区：1994年11月10日現在　（タウンページ）』日本電信電話首都圏電話帳事業推進部, 1995 <Y69-94W-99073>

やはり巻頭の索引から当該ページを見つけるが、時代が下ったからか模型店だけ分立している。またピンバイスがこの頃にはようやく載っている【図8-3】。店長が専門雑誌への広告効果のほうを優先させていたのを憶えているので、電話帳に載るのが遅れたのだろう。

住宅地図─日本独自のタイムマシン（ただし行けるのは戦後だけ）

　昭和 20 年代末から作られるようになったのが、現在「住宅地図」と言われる冊子体地図帳である【図 8-4】。実物は見開きで A2 にもなる、ふつうの人には巨大な冊子である。

　これは表札や看板を実地に調査して戸別の住人や店舗が判るようになっている大縮尺地図で、日本固有の「表札」を情報源にしているため、表札 / 看板の有無に名前情報も連動する。本人が死亡していても表札があれば、その名前が表示されつづけてしまうことも。アパートについても地図帳の巻末に「別記」で名前一覧があることがある。戦前、住宅地図はなく、代替として使える資料に「火災保険（特殊）地図」がある。現在、辻原万規彦編『戦前期東京火災保険特殊地図集成』（創元社、2024 〜）として復刻が始まった段階である。大きな図書館などで閲覧するとよいだろう。

　小商店の正確な所在地は電話帳などで判明するだろうから、それを手がかりに住宅地図帳を国会図書館などで検索して、閲覧、複写するとよい。地図帳は著作権法の制限で見開きを半分以下しかコピーできないが、NDL は著作権者のゼンリンと契約を結んでいるので例外的に見開き全部を複写してもらえる。次のものが模型店ピンバイスが掲載されている住宅地図帳だが、私はしばらく前、週末古書展で 3000 円前後で買った。

【図 8-4】ゼンリンの住宅地図

　・『江東区 1990 （ゼンリンの住宅地図. 東京都 ; 8）』ゼンリン,
　　1989.12 <YG111-13-108-A1>

【図 8-5】住宅地図に記載された模型店ピンバイス（1989 年頃）。
図を横断する道路の中央南側にあります

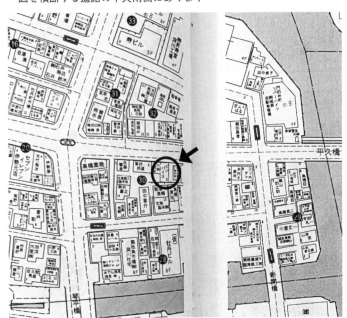

専門雑誌で広告や記事を見つける

　模型（ピンバイスはプラモデルが主力商品だった）といった趣味のジャン
ルには、製造業・流通業向けの業界紙誌と、エンドユーザ向けの専門誌（趣
味雑誌）の 2 系統が成立するが、小売店は『東京玩具商報』『日本模型新聞』
といった業界紙誌にほぼ出ない。そこで次のような専門誌の（小売店単体や
小売店チェーンによる）広告を見つけるか【図 8-6】、紹介記事を探すことになる。

・『モデルアート = Model art : modeling magazine』モデルアート社
　[1966]- <Z17-685>
　※ピンバイスが今年まで広告を出していた唯一の雑誌。

・『ホビージャパン = Hobby Japan』ホビージャパン[1969]- <Z11-518>

※1970〜90年代にはピンバイスも広告を出していた。1982年あたりから広告索引が巻末にある。

・『Model graphix ＝ 月刊モデルグラフィックス』大日本絵画, 1984-
　<Z11-1427>
　※1980〜2000年代にはピンバイスも広告を出していた。1991年9月号に紹介記事がある。
　この雑誌には宮崎駿のイラストエッセイ「宮崎駿の雑想ノート」が載っていたことでも
　有名。
・『レプリカ』タックエディション, 1985-1992？
　※この雑誌にも広告を出していた。ただしNDL未所蔵。

【図8-6】模型雑誌に載ったピンバイスの広告（『モデルアート』1990年11月号）

　こういった趣味雑誌、特に戦後のものはタイトルにカタカナ語や欧文を
使うので、古書販売サイト「日本の古本屋」やNDLサーチを検索するよ
うな場合には両方で検索する必要がある（請求記号を前記＜＞内に書いた
ので、それを使えば一発で出るが）。
　そもそも小売店が記事になることは、タウン誌など限られた場合を除い
て少ない。タウン誌は『全国タウン誌総覧』（皓星社、2022年）で発行地
から調べられる。模型小売店の場合、特に『タミヤニュース』の連載「HOBBY
SHOP」をチェックする。これは小売店紹介の連載記事で重要だ【図8-7】。
ピンバイスは1982年9月号で紹介されている。こうしたメーカーの媒体

は各業界にあるだろう。

【図8-7】『タミヤニュース』の連載「HOBBY SHOP」

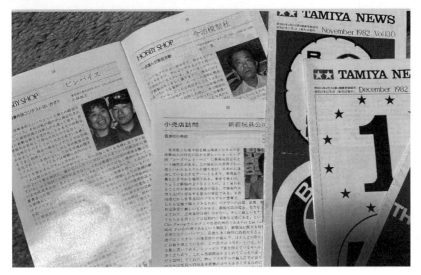

・『Tamiya news』タミヤ・タミヤニュース編集室, [1967]- <Z17-890>
※大手製造業によるエンドユーザー向けPR誌。総索引が5回出ているが、それは通信
販売サイト駿河屋のカタログ（https://www.suruga-ya.jp/）ではじめて判ることで、NDLサー
チの書誌記述からは不明である。

NDLデジタルコレクションで雑誌広告・記事を引く

　これまでは前記のように、雑誌を調べ、さらにそれを通覧ないし索引で
調べて記事、広告を見つけるといった段取りが必須だったが、2022年12
月以降、状況がガラリと変わった。

　というのもNDLデジコレにフルテキスト検索が付いた（正確には換装
されて「使える」ものになった）からである。図書・雑誌・新聞の三大資
料のうち、一番デジタル化・フルテキスト化が進んでいるのは図書（≒単
行本）で、新聞が一番遅れているが（第1講参照）、雑誌もそこそこ遅れ

ている。そのため現状では『モデルアート』も『ホビージャパン』も『モデルグラフィックス』も未デジ・未フルテキ状態だが、それでもなお意外な資料が引っかかるかもと、デジコレを検索してみる必要はあるだろう。

　検索語「ピンバイス」だとノイズが多くなるので、こういった特定性の低い固有名（ここでは屋号）の場合、関連する別の固有名で検索するという技法がある。商業登記を官報で検索する場合などは経営者の個人名を使うが、広告検索だとそうはいかないので、人名の代わりに店の電話番号や所在地を検索語とする。昭和後期から平成にかけて電話番号は広告に必須のものだったので、広告記事だけをヒットさせられる【図8-8】。もちろん今回の場合、お店の存続期間があらかじめ判っているので、特定性の弱い固有名でも年代で絞り込んでノイズを排除するという手もある。

【図 8-8】デジコレを店の古い電話番号から検索した結果

　この結果、『航空ファン』といったような、模型雑誌ではないが模型記事も載る雑誌に広告を出していたことがわかった。デジコレの閲覧ステータスが「国立国会図書館内限定」なのは版元がまだ存続しているせいだろうか。それはともかく、永田町（NDL 東京本館）や精華町（NDL 関西館）へ電車賃をかけて行けば、PC 画面で閲覧し、そのプリントアウトを持ち

帰ることができる。【図8-9】はそれで見つけたピンバイス5周年記念の広告だが、周年記念セール等の広告は創業年が判るのでありがたい。この広告では12月17日という創業日まで判ってしまった。塗料やトレーナー、戦車のガレージキットなど独自商品をいろいろ開発していたことも判る。

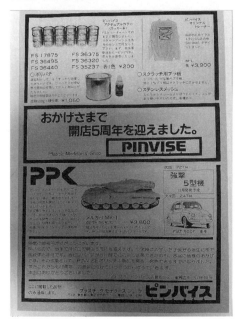

【図8-9】5周年記念の広告（『航空ファン』1983年2月号）

2ちゃんねる改め5ちゃんねるをさらう
——2000年代以降の日本サブカル偶然記録集

　1999年5月に開設され、2000年に有名になった巨大掲示板「2ちゃんねる」にも模型関係のスレッドがあり、そこで小売店の情報が拾えることがある、というか、あった。以前、2018年に検索した際には、過去スレッドについても保存されており、Google検索や、未来検索ブラジルのFind.2chで過去ログをスレッドタイトルだけでなく、本文まで（有料だが）検索できたものだったが、2023年12月現在はそうではないようだ。それでもかころぐβというサイトで比較的最近のデータが（本文からも）検索できる。

　以前は次のようなデータが検索結果に出てきたが、現在は検索できな

くなっている。後継スレッド「都内の模型店について語ろう【19軒目】」は検索及び表示されるが。

都内の模型店について語ろう【15軒目】

（http://awabi.5ch.net/test/read.cgi/mokei/1377417780/）

453 :HG名無しさん :2013/12/13（金）13:43:33.60 ID:SXE+7cbu
>2013年12月13日 金曜日：今日は午後6時で早じまい。ゴメン。
イレギュラーな休業を見掛けると、おやっさんの体調が気になる。
ピンバイスがんばれ！」

454 :HG名無しさん :2013/12/14（土）08:12:34.38 ID:oJKvfuID
最近、バジル君さんはどうした？

　過去ログがきちんと引けるようになれば、2000年代以降の小売店閉店時期を確定するのに使うことができるはずである。もちろん、うまく関連スレッドを見つけられればであるが。ちなみに引用文中の「バジル君」はピンバイスの看板猫（初代）の名前（【図8-11】に肖像あり）。

ウェイバックマシン（インターネットアーカイブ）

　各国でウェブアーカイブを持っているようだが、世界中の民間のものも等しく保存するという点で米国非営利団体インターネット・アーカイブによる「ウェイバックマシン（Wayback Machine）」より有用なものはないのではなかろうか。日本の国会図書館が行っているアーカイブ「WARP」は省庁や自治体のサイトだけを対象にしているので、マジメな事柄、大きな事柄のヒストリーにしか役立たない。ちなみに日本ではこのシステム「ウェイバックマシン」は「インターネットアーカイブ」と呼ばれることが多い。

　ピンバイスの2007年以降のサイトへはウェイバックマシン自体に2017年についた検索機能で行きつける【図8-10】。

【図8-10】「ピンバイス」で検索すると保存されたデータへ行ける

　この店に限らず、ホームページを過去に持っていた店であれば、このサイトにデータが部分的に保存されているかもしれない。ただし、前記の検索が効くのは一部であるらしく、出ない場合には何よりもまず、URLを知る必要がある。つまり、ウェイバックマシンから過去データを発掘するにはURLを知ることが先決だが、それは5ちゃんねるやブログ、掲示板等の過去のエントリを検索して探りだしておく。

　ピンバイスの旧サイトは「http://www1.odn.ne.jp:80/pinvise/」である【図8-11】。次のURLを開くと、ウェイバックマシンで保存されているデータの一覧が出る。

https://web.archive.org/web/*/http://www1.odn.ne.jp:80/pinvise/*

【図 8-11】模型店ピンバイスの旧サイト（2007 年、ウェイバックマシンに保存分）

過去の URL を知る方法①──NDL 旧 Dnavi を使う

　会社、組織や商店の旧サイト URL を知ることは、ウェイバックマシンの古いデータを発掘するには必須だが、これを探すこと自体、結構な苦労となる。今回の模型店 HP 検索には役立たないが、NDL が WARP とは全然別に、民間も含めレファレンスに役立つサイトの URL を 2002 年から 2014 年まで集めていたので、これが使えることがある（略称「Dnavi」ディーナビ）。データは現在でも NDL デジコレの次の URL に表形式で保存されているので、表をダウンロードして、サイトごとに付与された NDC（日本十進分類法）でソートしなおせばそこそこ使い物になる。

　・国立国会図書館データベース・ナビゲーション・サービス（Dnavi）収載
　　データ　　http://dl.ndl.go.jp/info:ndljp/pid/8427554

　例えば、出版社のサイト一覧を見つけ、それをウェイバックマシンで表示し、さらに探している出版社の URL をクリックすると、古い 2000 年代の HP を表示させることができる（はずだ。ウェイバックマシンに保存さ

れていれば）。【表8-2】はNDCで「024 図書の販売」の部分である。この表の先頭にある、2014年段階で公開停止だった「出版業界イエローページ」はウェイバックマシンに保存されており【図8-12】、そこから各種出版社の古いHPのURLが判る。

【表8-2】「Dnavi」のNDC「024 図書館の販売」の部分

公開停止	出版業界イエローページ	出版文化産業振	023	出版文化産業に関する内外	インターネッ	http://www.j http://www.jpic.or.jp/
公開	出版社リンク集	平林雅英	023		インターネッ	http://www.hir-net.com/link/book/
公開	復刊ドットコム	ブッキング	023	絶版や品切れ 200005	書誌	http://www.fukkan.com/
公開	旬刊出版ニュース目次	出版ニュース社	023		書誌	http://www.snews.net/
公開	出版ニュース検索	出版ニュース社	023		インターネッ	http://www.snews.net/
公開	出版社リンク集	紀伊国屋書店	023		インターネッ	http://www.k http://www.kinokuniya.co.jp/
公開停止	古書店検索	正文堂	024	日本全国の古 1999	文字・文献	http://www33.ocn.ne.jp/~seibundo/bookstore.html
公開	インターネットの本屋さんリスト	奥村晴彦	024	ネット上のおもな書店一覧	インターネッ	http://oku.edu.mie-u.ac.jp/~okumura/bookstores.html
公開	古書店マップ(日本) 貴方の町の古書	紫式部	024	全国の古書店 19960601	辞書・事典	http://sgenji.jp/search/shopmap.html
公開	古本相場集	正文堂	024		辞書・事典	http://www3 http://www33.ocn.ne.jp/~seibundo/
公開	OldBookMark	crypto	024	Web上の古書 199911	書誌	http://www.crypto.ne.jp/oldbookmark/
公開	神田神保町古書店一覧	国立情報学研究	024	神田神保町の古書店のウェ	辞書・事典	http://jimbou http://jimbou.info/
公開停止	交差点	ホンニカンレン	024		辞書・事典	http://www.book-kanda.or.jp/infomation/link/index.htm
公開	蔵書印の世界	国立国会図書館	024	書物の所蔵さ 20030718	館蔵品・目	http://www.r http://www.ndl.go.jp/
公開	唖人華中国書籍販売店データベース	山田崇仁	024		文字・文献	http://www.s http://www.ritsumei.ac.jp/
公開	JIMBOU　古書データベース	国立情報学研究	024	神田神保町の古書を一括検	書誌|インタ	http://jimbou.info/
公開停止	ジンボウナビ	NPO法人運想	024		書誌	http://navi.jimbou.com/
公開	ブックハウス神保町．com	ブックハウス神	024		書誌	http://www.bh-jinbocho.com/
公開	熊本県書店商業組合古書店紹介	熊本県書店商業	024		文字・文献	http://www.kumamoto-books.jp/
公開	今月の古書通信主要記事目次	日本古書通信社	024		文字・文献	http://www.k http://www.kanaishoten.jp/kotsu/

【図8-12】出版業界イエローページ（ウェイバックマシンに保存分）

過去の URL を知る方法②──Yahoo! Japan の旧カテゴリを使う

　ディレクトリ型検索エンジンとして日本で一世を風靡したヤフー・ジャパンだが、このカテゴリがウェイバックマシンに保存されていた【図 8-13】。次の URL あたりから行くとよいだろう。

https://web.archive.org/web/19961001000000*/http://www.yahoo.co.jp

【図 8-13】ヤフー・ジャパン（1996 年、ウェイバックマシンに保存分）

（まとめ）ちいさいお店の調べ方

　以上、2023 年に閉業したプラモデルの小売店（模型店）を題材に、小さな商店、そのスジでは、ちょっと有名だった小売店をどう調べるかの事例を示した。実際に 6 年ほど前、これらの方法で見つけた材料から『ピンバイス 40 年史』なる同人誌を私が作ったのだが（NDL に納本済み）、読者におかれては別にプラモ趣味の人ばかりでもないだろうから、自分のそれぞれの趣味や体験、思い出に引きつけて、名もなきお店の過去を召喚し

てほしい。

　例えば同じ模型店でも鉄道模型なら趣味の雑誌（専門誌）や業界紙誌は前記と異なってくる。一方で電話帳、住宅地図といったツールは同じような使い方でいいだろう。これは模型屋に限らず、駄菓子屋などでも使えるツールではなかろうか。理論上は八百屋でも手芸店でも同じようなことはできるはず。

　どの業界にどんな専門誌・業界紙誌があるかは、別途、個別に調べる必要がある。『雑誌新聞総かたろぐ』（メディア・リサーチ・センター、1978〜2019）が網羅的かつ探しやすいツールだろう。

　概ね戦後の商店であれば、最初に NDL デジコレを検索してみる必要はあるだろう。その際、キーワードになるのは屋号や店主の人名だけでなく、所在地や電話番号も使えることは気に留めておくとよいだろう。電話番号は、例えば東京なら 1990 年前後に市内局番先頭へ番号（東京はおおむね 3）が付いたことなどは知っておく。

（さいごに）ネコ

　実は他にもいくつか別系統の資料がある。雑誌『NEKO』2002 年 12月号で【図 8-11】のネコが取材されて記事が載った。ただしこの雑誌は NDL に所蔵されているのにこの号が欠号になっている。『東都よみうり』1365 号（2009.9.4）の「江東区版」面にもネコの記事があるが、これも欠号。また江東ケーブルテレビに出演したこともある。要するに NDL に欠号だったり、資料がテレビ番組だと後から収集するのは極めて困難ということだ。またネコという別の側面から資料が作られた例でもある。特定産業の店でも意外な資料に情報が載る可能性がある。

　日本のインターネット草創期、NDL が米国議会図書館あたりをまねてネットの一括収集をしようとしたことがある。財務省の国会担当が「2 ちゃんねるとか、どうしても収集する意義が解らない」ということでやらなかったと聞いたが、おそらく意義などというものは同時代人にはそもそも解ら

ないものなのだ。戦前、帝国図書館の人々がある種の資料を、同時代に価値判断をしないでダークアーカイブとして保存していた（「乙部」という資料群）。そういった知恵が文化には必要なのだろう。国立図書館が資料を「包括的」に収集するのは、それを保障する国際的な慣例なのだろう。

プラモのタテ置き
ロングテールの展開とランダムアクセス

　親がやっていた模型店の特色の一つが、プラモデルキット（未完成品入り箱）のタテ置き配架だった。ふつうの模型店だとキットの箱はヒラ置きして積み上げるのだが、日曜大工が趣味でもあった親は店の棚の横板を本棚ばりに細かく設置して、メーカーのレーベルや、縮尺シリーズで揃えてプラモをタテ置きしていた。そうすることで当時、絶版でなかったプラモを全部揃えて売ろうとしたのだったが、これがネットなき1980年代時代、マニアックなモデラーに大いにウケた。店を建て直してからも、本用のスチール書架を用いて同様のことをしていた。

　江戸期の和本はそもそもヒラ置きが普通で、だから明治初期の日本では西洋装の本もヒラ置きがデフォルトだったらしい。当時の初期洋本は背文字がないものがほとんどだ。背文字がついて本が現在のようにタテ置きになるのは明治30年代あたりから。

　なにより背文字つきでタテ置きにすれば、冊子ごとのランダムアクセスができるようになる。知識の量が増大したり、更新頻度があがったり、随時、参照する必要が高まれば、タテ置きが合理的になるというわけだ。本屋が座売りから今と同じ「土間式」になるのは明治末年ごろということが最近わかった。

　今は江戸期のヒラ置きに戻っているが、昭和戦前期の図書館では和本ですらタテ置きにするのがススんでいるのだ、ぐらいのことが言われていた。

　パッケージ系メディアのタテ置きは、物理的世界でのランダムアクセスを保障するシステムだったのだなぁ……。

第9講
分類記号(NDC)を使って戦前の未知文献を見つける

前に件名でやりました

　前著『調べる技術』第5講で、件名を使って〈見たことも、聞いたこともない本を見つけるワザ〉を紹介した。旧NDLオンライン（現在はNDLサーチ）を検索する場合、戦後のまじめな本には、本の主題を代表する特殊なキーワード「件名」が付与されているので、それで検索すると、未知の本（未知文献）を見つけることができる、というものだった。今回は「分類」を使うワザをお教えする。

前提　分類に何種類かあるけれど、とりあえずNDCで

　近代的な図書分類に何種類かある。世界的にはデューイ十進分類法（DDC）がデファクト・スタンダードなのだけれど、その形式をマネて昭和始めに開発されたのが日本十進分類法（NDC）。国会図書館独自のNDLCというものもあるけれど、NDCが国内ではデファクトスタンダードなので、NDCで説明する。
　さらに言うと、NDLサーチで、戦前・前後を通じて引ける唯一の主題標目（注1）がNDCだからでもある【表9-1】。司書でない一般人は件名を使うのがよいのだが、戦前の未知文献を探すには当面、NDCを使うしかない。

【表9-1】NDLサーチで使える主題標目（件名・分類）

	帝国図書館本（1874年〜）	国会図書館本（1948年〜）
件名	なし	あり（堅い本だけ）
分類（配架用）	なし（一部あり）	NDC→NDLC（1969年〜）
分類（検索用）	NDC6版（一部簡略化）	NDC6版（〜1980年）、NDC8,9,10版 一部NDLC

　【表9-1】の表側「分類（配架用）」というのは専門用語でいう「書架分類」のことで、要するに請求記号の先頭＝図書ラベルの上段に書かれる記号のこと。この記号に従って本は本棚に並べられる。一方で「分類（検索用）」は専門用語でいう「書誌分類」のことで、データを並べるための分類記号。ラベル上段と一致することもあれば、一致しないこともある。事例【図9-1a,b】はNDLデジコレで見られる1949年の本の例。
　戦前分、戦後分を通してNDCがほとんどの図書（「和図書」＝日本語の単行本）に付与されているので、NDCを使いさえすれば、明治以降の本はおおむね一括して検索できることになっている。

【図9-1a】ラベル上段は書架分類

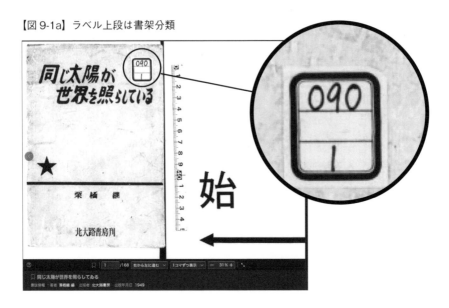

【図 9-1b】請求記号前半は書架分類（破線〇内 090）、別に検索用の書誌分類（〇）が入力済み

□ 同じ太陽が世界を照らしてゐる	
書誌情報：著者 栗栖継 編　出版者 北大路書房　出版年月日 1949	

書誌情報

資料種別	Book
タイトル	同じ太陽が世界を照らしてゐる
タイトルよみ	オナジ タイヨウ ガ セカイ オ テラシテイル
著者	栗栖継 編
著者（NDLNA）	栗栖, 継, 1910-2009
著者よみ（NDLNA）	クリス, ケイ
出版地	京都
出版者	北大路書房
出版者よみ	キタオオジ ショボウ
出版年月日	1949
出版年月日(W3CDTF)	1949
容量・大きさ	316p ; 19cm
日本全国書誌番号（JPNO）	49003714
永続的識別子	info:ndljp/pid/1158961
識別子（DOI）	10.11501/1158961
請求記号	a090-1
書誌ID	000000854233
分類（NDC）	914.6
言語（ISO639-2）	jpn
利用対象者	一般
コレクション情報	図書

NDCの版違い──1980年の前と後

　一括して検索できるといいながら、【表9-1】の最下段に示したように、1980年を境に、それ以前の本にはNDC6版の記号が付与され、以降はNDC8、9、10版が付与されていて、ちょっと注意が必要だ。というのも、各版ごとに割当られる分類記号に異動があるためだが、我々はカタロガー（目録担当司書）ではないので、ざっくり言ってNDC8、9、10版は同じNDCと扱ってしまってよい。

　むしろここでは、戦前図書に唯一付いている主題標目がNDC6版に限られる点に注意したい。というのも、戦前の未知文献を見つけるにはNDC6版で検索しなければならないが、8版以降とかなり異なる記号になっている部分があるからだ。

　6版と8版以降の大きな違いは、8版以降で537自動車工学、548情報工学などが新設されたこと、6類の後半の、670商業、680交通、690通信の一部が廃止されたり（例えば698伝書鳩）、置き換えられたり（例えば675配給がマーケティングに）されたことである。他にも細かいところだといろいろあって書ききれないが、007情報科学の新設などもある。

　同じ記号でNDC検索をして検索結果の一覧を見ていたら、1980年前後で本の主題が大きく変わっているような場合、NDC6版と8版以降の違いであることが多い。余談だがNDC7版は画期的に良すぎてNDLで採用されなかったので、NDL製データにNDC7版のものはない（注2）。

十進分類法の基本①　記号の構成と読み方

　ここで誤解されないよう言っておくと、NDC記号は「十進」分類法なので算用数字と異なり、左から順に9つの選択肢で細かくなっていく。6版の「698伝書鳩」の項目で言うと、左端の6が1次区分「6産業」、2次区分9は「69通信」、3次区分8で「698」とそろって伝書鳩、という具合である。従って読み方も「698」は「ロッピャクキュウジュウハチ」と読んではダメで、「ロクキューハチ」と読む（ことになっている）。

　ただし、1次区分の項目も2次区分の項目も認識しやすさのために右の方向へ3桁になるまで「0」（ダミーのゼロという）をつける。例えば6類総記は「600」と表記する（そのため6類を便宜的に「ロッピャクバンダイ」と呼ぶことが現場ではある）。主題はケタが増えるほど細かく設定されており、4ケタを越えていくと、これも便宜的に「.」を3ケタと4ケタの間にかませることになっている。前著についているNDCは「002.7　研究法、調査法」なので「ゼロゼロニイテンナナ」と読む。

十進分類法の基本②　「*」で前方一致するとよい

　十進分類法の良いところは、ケタ数が多い細かい主題と、ケタ数の少ない大きな主題が（形式的にだが）必ず上下関係にあることだ。だから「698伝書鳩」の本が1冊もなくても「690 通信総記」の本に伝書鳩のことが書いてある（はず）ということになる。

　これを検索に応用すると、細かい（ケタ数の多い）主題でノーヒットなら、順次、1ケタづつ減らして再検索すれば関連書を出せる、という技法に使える。また、ヒットした本より関連する細かい主題の本を探す技法もNDCで簡単にできる。情報検索でいう「ワイルドカード」を使って、例えば「690」から「699」まで通信がらみの全部の本をヒットさせることができる（ケタ数を3ケタより多くしたほうが件数が多くなりすぎないのでオススメ）。NDLサーチでは「*」がワイルドカードなので、「69*」で検査すればよい。

事例　たとえば伝書鳩

NDC検索のおおまかな流れ

　NDCを使った未知文献検索を一言でいうと、どうにかしてNDCの該当する分類記号を探し出し、それをNDLサーチ詳細検索画面の「分類」で検索すれば、タイトルも、著者名も、キーワードすら思いつかなくても当該図書が見つかる、というわけだ【図9-2】。

【図 9-2】 マンガ・イラストのレファ本で現役のもののリストを検索した例

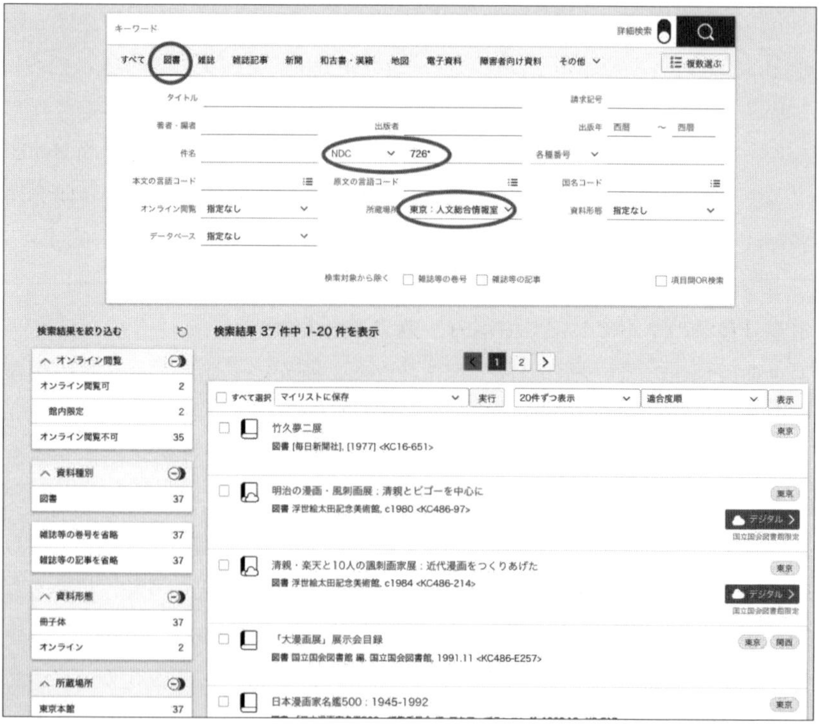

【図 9-2】は、マンガやイラストのレファ本で現役のものだけをリストアップしたいと NDL サーチを検索した事例だ。NDC「726*」で前方一致検索をかけ、なおかつ、NDL でマンガを担当するレファレンス室（人文総合情報室）に開架されている本という条件と掛け合わせると、いまマンガの調べ物で使える現役の本のリストが自動生成される。

NDC 分類表をネットで拾う方法

求める NDC 記号をゲットするにはおよそ 2 つのやり方がある。ひとつは正統的に分類表をどこかで拾って見てみること。もうひとつは先に求める主題の本を見つけてしまい、それに付与されている NDC 記号を使って

再検索することだ。

　NDC6 版の表そのものはネットで見られるものが見当たらない。本稿連載時には NDL デジコレ内の次のものが「送信サービスで閲覧可能」だったが、いつのまにか「国立国会図書館内限定」に変わって館外から見られなくなっていた（2024 年 4 月現在）。ステータスが突然変わって見られなくなるのは困る。見られなくなった場合、せめて理由が個別にわかるようにしてほしい。

　・森清 原編、日本図書館協会分類委員会 改訂『日本十進分類法:和漢洋
　　書共用分類表及び相関索引 新訂6版』日本図書館協会、1955

　第 1 講の【表 1-1】に見たように、100 万冊以上の図書に NDC6 版が付与されており、それでしか戦前の未知文献の系統的検索はできないのだから、もし、ステータス変更が著作権問題であれば、著作権者と契約してネットで NDC6 版表を見られるようにすべきと思う。私は便法として NDC5 版を参照したが（2024 年 4 月現在「送信サービスで閲覧可能」）。

伝書鳩についての本

　とりあえず伝書鳩について戦前の本を探してみよう。

　若い人は知らないだろうが、伝書鳩とは、帰巣本能を利用して、ハトの足にくくりつけた通信文やフィルムを運ぶ通信手段のこと。戦前は軍事鳩とも呼ばれ、戦後は新聞社が使っていたが、現在ではレース用として残っている。

　NDC6 版の索引を見ると「Densh……　伝書鳩　698」と出てくるので、698 が NDC6 版の分類記号だとわかる。

　また前著第 4 講で紹介した NDL 典拠に件名「伝書鳩」を発見したならば、【図 9-3】のような画面が表示される。

【図9-3】NDL 典拠に件名「伝書鳩」がある

本来なら「分類記号」（昔は「代表分類」と言った）のところに6版NDCが出てくるべきなのだが、10版と9版のものしか記載されていない。

そこで右にある「件名検索」ボタンをクリックしてNDLサーチで伝書鳩がらみの図書一覧を表示させ、「出版年：古い順」にソートすると、戦後の国会図書館本だが1980年以前に整理されたものが結構出る。そして、念のため検索画面最上段の次「全国の図書館」のチェックボックスを外して再検索する【図9-4】。これが件名が付与されていると同時に、NDC6版が付与されていた戦後で古めの本である。みな請求記号前半が「698」である。

【図 9-4】件名「伝書鳩」（の典拠番号）で検索した結果一覧（古い順）

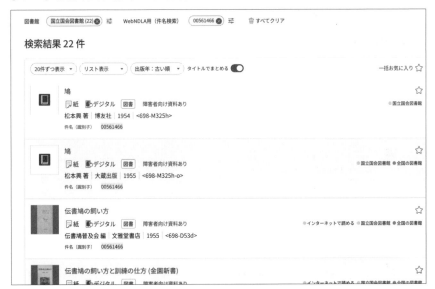

NDC6版でNDLサーチを検索

　どれか 1 冊の書誌詳細画面を開けて、NDC「698」が青文字になっているのでクリックすると、NDC「698」で再検索され結果が表示される。またもや念のため、検索画面最上段の次「全国の図書館」のチェックボックスを外して再検索すると、【図 9-5】の結果が表示される。

　全部で NDC6 版伝書鳩の分類が付与されている図書 33 件が表示されているが、そのうち戦前の 21 件は件名が付与されていないので、分類検索で見つかった本である。なかでもタイトル中の言葉が「伝書鴿」「鳩界」「鳩」といった本は、分類でないと見つからなかった本だろう。

NDLサーチを全国書誌の索引として使う

　本講で行っているのは、国立図書館の蔵書目録を全国書誌の索引とし

【図 9-5】NDC 698 の検索結果

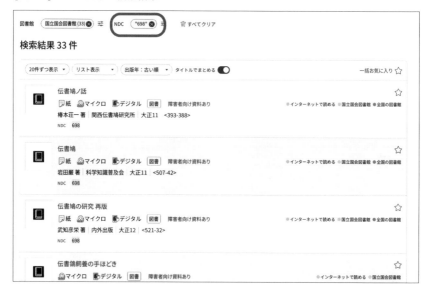

て検索するという技法である。NDL サーチは一見、巨大な図書館で本を出し入れする蔵書目録のように見えるが、NDL は国立図書館なのでサーチには別の機能がある。それは系統的に付与された主題標目を用いて、未知文献を探し出す索引としての機能だ。『日本全国書誌』（national bibliography、かつてこのタイトルの冊子があった）の索引として使わないと、せっかく専任職員を何十人も揃えて主題標目を付与している意味がなくなってしまう。それでこそ、館に行かない（行けない）全国の利用者に役立つものとなる。

（注1）主題標目とは、本の主題を表すメタデータのこと。分類と件名をあわせて呼ぶときの専門用語。
（注2）当時出てきたファセット理論にあわせて分類委員会がはりきって形式区分の項目をきれいにそろえたり、分類表本体も論理を優先させいろいろいじったので、NDLの現場のカタロガーに嫌われ、採用されなかった。現場というものは大きな変化を嫌う。

第10講
予算無限大の理想のコレクションから、
現役のレファ本を見つけるワザ

大検索時代にはこれ！　レファ本フェアのリスト

前著『調べる技術』がヒッ
トし、いくつかの書店で「『調
べる技術』の小林昌樹が選ん
だ「調べの本」50選」フェ
アを開催した。その際、一
緒に陳列するレファ本のリ
ストを作り、無償配布した
【図10-1】。

この「50選」リストは評判
が良かったが、私が特に苦労

【図10-1】「調べの本」50選ブックフェアリスト

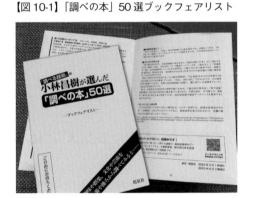

したわけではない。どんな分野であれ、〈現役のレファ本リストを半自動
的に生成できるからくり〉がすでにあり、それを応用しただけなのだ。逆
に言うと、みんなが〈その時々で現役のレファ本を知るにはどうすればよ
いか〉というノウハウを持っているとよいだろう。今回それを説明する。

現役のレファ本リストの作り方

要するに国会図書館のレファレンス室（館内では「専門室」という）に
その時々でどんなレファ本が並んでいるかをつかめればよい。彼らは専業

なので、毎日、レファレンスのことしか考えていないのだから、彼らのやっていることをまねるのが、NDL人文リンク集（前著第3講）同様、近道だ。

　彼らがどんなレファ本を使っているのか知るには、NDLの蔵書DBであるNDLサーチを見ればよい。NDLサーチでは所蔵場所・部屋も指定して検索できるので、その機能を使う。

　前記の50選リストを作った際には、所蔵場所「東京本館＞人文総合情報室」にあるここ数年の新刊のレファ本で候補リストを作り、プリントして、それを持って永田町の当該室へ行って現物をチェックし、さらにリストから新しめの（レファ本としては）安めのものを選んだのだった（書店さんのフェアなので）。

　リストは中身に責任を持ちたいので、得意な人文、総記系の本ばかりとなったが、NDLサーチを使えば、それ系に限らず全知識ジャンルで同じことができる。

予算無限大のレファレンス・コレクション

　やり方を説明する前にちょっと理屈を述べておく。

　国会図書館はただ大きい図書館であるだけでない。その大きさは法定納本によって支えられている。本を出版した人や会社（書いた人や書いた法人ではない）は1部、その本をNDLへ納めないといけないと国立国会図書館法第25条に書いてある。そのせいかどうか、近年では市販図書の9割方がNDLに納められている。自費出版や同人誌など非売品の納本率はもっと低いが、私も同人誌を出した際には納めた。

　NDLでは現在では毎日（以前は週に1、2回だった）レファレンサーによる「選書」が行われる。その週ないしその日整理された全ての本（非売品のみならず、マンガ、エロ本まで含めた全て）が「選書コーナー」に排架され、レファレンサーが自分たちのレファレンス室に必要なものを選ぶ一方、不要になったものを書庫に戻すという作業をしていた。

　納本の「選書」で全ての本が手に取れ、そこから選ぶので、論理上、予算無限大でレファ本のコレクションを部屋に作っていることになる。この理想のレファ本リストを利用しない手はない。

知識ジャンルとレファレンス室の対応表

　ということで、NDLサーチをレファレンス室ごとに検索すると、その時点で「使える」「使う価値がある」と判断されレファレンス室に置かれているレファ本をリストアップできる。

　ところが一つ問題がある。NDLサーチで検索し分けることができる「所蔵場所」には、レファレンス室でない部屋がいくつかあるし、そのレファレンス室は「主題部門制」といって、大まかな知識分野（ディシプリン）ごとに担当の部屋が別になっているので、本の主題（ここでは広く検索できる日本十進分類法NDCを使う。注1）ごとに違う部屋が設定されていることだ。そのため、あらかじめ主題ごとに部屋を選んで検索しないと、うまくレファレンス室のレファ本リストを作ることができない。

　そこで、ある主題についてどの部屋の所管なのか、次にその対応表【表10-1】を作ってみた。

　我ながら書いていて、なかなか複雑である。説明すると、NDCで「070」のように書いてあるところは、「000 総記」のほぼ全部が人文総合情報室の担当でレファ本もそこの開架に出してあるが、総記のうちの「070」新聞に関してだけ、レファ本が新聞資料室の開架に出してある、ということである。ちなみに「020」出版は「000」の下位なので人文総合情報室に開架のレファ本がある。

　憶え方としては、社会科学・自然科学は人文総合情報室以外の部屋にある、としておくとよい。要するに「科学」とそれ以外である。また「科学」分野でも前近代の事柄——例えば本草学——は人文総合情報室にレファ本がある。

【表10-1】NDCとNDLレファレンス室の対応表

NDC		大人向け	大人向け（前近代）	子供向け
000	総記	★東京：人文総合情報室	★	☆
070	＞ 新聞	＞東京：新聞資料室	-	☆
100	哲学・宗教	★東京：人文総合情報室	★	☆
140	＞ 心理	＞東京：科学技術・経済情報室	-	☆
200	歴史・伝記・地理	★東京：人文総合情報室	★	☆
280	＞ 伝記	＞★担当分野以外は各レファレンス室	★	☆
290	＞ 地理の地図	＞東京：地図室	★	☆
300	社会科学	東京：科学技術・経済情報室	★	☆
310	政治	＞東京：議会官庁資料室	★	☆
320	法律	＞東京：議会官庁資料室	★	☆
380	＞ 民俗	★東京：人文総合情報室	★	☆
390	＞ 軍事	＞東京：議会官庁資料室	★	☆
400	自然科学・医学	東京：科学技術・経済情報室	★	☆
500	工学・工業・家政学	東京：科学技術・経済情報室	★	☆
520	＞ 建築の美術観点のもの	＞★東京：人文総合情報室	★	☆
600	産業	東京：科学技術・経済情報室	★	☆
699	＞ 放送のうち　ラジオ・テレビ番組	＞★東京：人文総合情報室	-	☆
700	芸術	★東京：人文総合情報室	★	☆
760	＞ 音楽	＞東京：音楽映像資料室	?	☆
800	言語	★東京：人文総合情報室	★	☆
900	文学	★東京：人文総合情報室	★	☆

★「東京：人文総合情報室」　☆「子ども：調べものの部屋」
＞は下位区分

　☆は上野にある国際子ども図書館の調べものの部屋だが、レファ本だけでなく、必ずしもレファ本でないものの、調べるのに使えそうな中高生向きの本が開架に出されている。児童ないしヤングアダルトに「知識の本」をリストアップしたい場合などに「調べものの部屋」の配架情報をゲットするのもよいだろう。

事例1　テレビ番組の一覧表はないか？

　言いっ放しでは何なので、いくつか事例を紹介する。例えばテレビ番組について調べたいとする。

　テレビとなると産業の一種で、ならば「科学技術・経済情報室」にある
のかと即断しそうだが、前記【表10-1】を見るとテレビ番組はNDC「699」
で、「東京：人文総合情報室」にレファ本が置いてあると判る。
　そこでテレビ番組のレファ本を見つけるには、NDLサーチで、まず所蔵
場所をプルダウンして「東京本館＞人文総合情報室」に設定。そして分類の検
索窓を自力で作ってNDC「699*」と入力し、検索してみる（注2）。【図10-2】

【図10-2】NDC「699」の前方一致かつ所蔵場所「東京：人文総合情報室」で検索

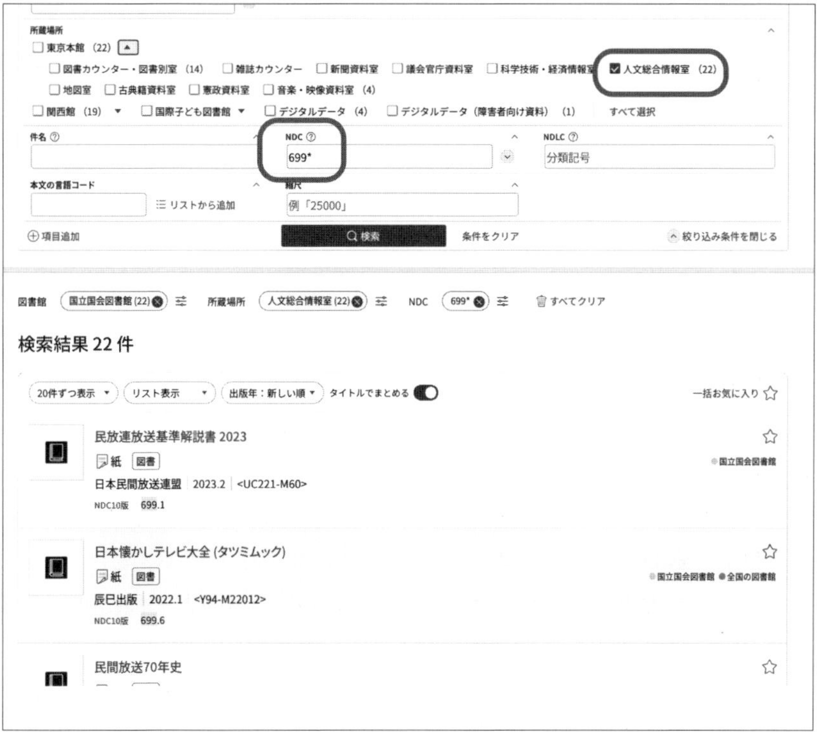

　すると、テレビ番組について現役のレファ本が22件ほどあることが判
る【図10-3】。

【図 10-3】 テレビ番組についてのレファ本

　品切れ本になっている『ザ・テレビ欄』シリーズがレファ本として開架されたままになっており、もう 10 年以上、これに代わる簡便なテレビ番組一覧が出版されていないことが判明する。逆に言えば、広く簡便にテレビ欄を見たい場合には、これを古本で購入するという選択肢がこのリストから出てくるわけである。

　実はテレビ番組のレファ本でいちばんいいのは、10 年ほど前に出た『テレビ 60 年 in TV ガイド』（東京ニュース通信社、2012.8 <Y94-J28461>　注 3）である。去年は NDC で検索してもヒットしなかったが、2024 年 4 月現在、ちゃんとヒットして【図 10-3】に出てくる。これはレファレンス室の運用で書誌データに NDC が足されたのだろう。NDL の簡略整理資料（請求記号が Y で始まるもの）は一部に NDC が付与されていないことがある。

　NDC は和書（日本語書籍）にしか付与されていないので、自然と検索結果は和書ばかりになるはず（一部漢籍に NDC がある場合がある）。タ

イトルや件名など、NDC以外で検索した場合には、洋書、中国語朝鮮語図書、雑誌、年鑑などがヒットする場合がある（それらのレファ本も少し配架されるので）。それらを排除して検索したい場合には、「項目追加」で検索窓を増やす作業をしなければならない。「各種コード＞本文の言語コード」で「本文の言語コード」欄を出し、「jpn」を選んで入力しておく。

事例２　科学史のレファ本

　【表10-1】を見ると「400」自然科学は置き場が当然「東京：＞科学技術・経済情報室」だが、その隣に「★」を付けた。これは前近代の自然科学にあたるレファ本は「東京本館：＞人文総合情報室」にあるということである。そこでNDC「4*」で当該の部屋を検索すると、『江戸・明治の物理書』といったレファ本（解題書誌）が最近出ていることが判る【図10-4】（『情報メディア白書』にNDC400が付いているのは間違いと思われる）。

玄人向けメモを三つ

メモ１　NDLのモデル効果

　中の人たちはほとんど意識していないのだが、国立図書館にはモデル効果がある。他の図書館がレファ本を買おうとした場合に、自力で市場調査をしてイチから選定するよりも、本講のように国立図書館のレファ本リストをそのまま候補リストにすれば百分の一以下のコスパで選書（候補）リストが作れる。納本が完全で、国立図書館のレファレンサーがきちんとしていれば、予算無限大で理想のレファ本リストになっているはずだからである。

　今回のような知識が世間に広まれば、目立たないだけで売れないが良いレファ本も、もうちょっと売れるようになるだろう。

【図 10-4】 人文総合情報室にある科学史のレファ本

メモ2 参考図書解題、というもの

　現役でないものも多量に含むが、レファ本の解説というものが図書館界では戦前から作られてきた。次のようなレファ本のガイド、「参考図書解題」という種類の文献リストである。

A. 『日本の参考図書 第4版』日本図書館協会日本の参考図書編集委員会
　　編集. 日本図書館協会, 2002.9 <UP41-G7>

ただこれはもう 20 年以上前に出たもので、これ以降は一応、データ
ベース（DB）になっている。

B. 日本の参考図書 Web 版　https://www.jrb-db.org/
『日本の参考図書 第 4 版』データも搭載。2011 年ごろまで収録。「カ
テゴリー検索」を使うとよい。日本図書館協会が作成し、2022 年に
皓星社で公開された。

C. NDL 参考図書紹介　https://ndlsearch.ndl.go.jp/rnavi/db/sanko
NDC 分類から検索するが、事実上、最初の 1 桁、つまり総記、歴史といっ
た「主類（main class）」でしか検索できないので不便。1990 年代から
現在まで。

　いま前記の B・C の DB を見てみると、ディープな趣味や研究のため網
羅的にレファ本を探すのには良いが、NDL サーチのレファレンス室検索
に比べ、退役したレファ本を排除する機能がないので、実務としての調べ
もの、軽い趣味のためのレファ本探しには向かない。

【表 10-2】ツール類の一覧リスト比較表

規模	図書（冊子）を採録するもの	ネット情報源* を採録するもの
小 （厳選）	①長澤『レファレンスブックス』（2016）476 点	❶NDL 人文リンク集（2011-）約 600 件（1 年に 1 割入れ替わる） ❷高鍬裕樹『デジタル情報資源の検索』（2005-2014） ❸各大学／県立図書館の DB リンク集 数百？
中	②『日本の参考図書（4 版）』（2002）7033 点 ②-a 日本の参考図書 Web 版　デモ版 ②-b　NDL 参考図書紹介 ②-c『日本の参考図書四季版』(1967-)	❹『データベース台帳総覧』（1983-2005）約 5000 件？ ❺調べ方案内（NDL リサナビ内）トピック別
大 （網羅的）	③『日本書誌の書誌』（1973-2006） ③-a『書誌年鑑』（1982-） ④NDL サーチの専門情報室開架分約 3 万	❻NDL データベース・ナビゲーション・サービス（Dnavi）(2002-2014) 22,196 件（21% が公開停止　2014 現在）

* ネット情報源：インターネット情報資源（internet information resource）

メモ3　三次資料の一覧

　これは前著 p.23 に掲げた表なのだが、図書館情報学で「三次資料」と言われるものの一覧【表 10-2】を再掲する。ふつうの文献を一次資料とすると、そのリストが二次資料となり、さらに二次資料のリストが三次とされる。今回のノウハウがどのような「全体」の一部なのかを理解するのによいかもしれない。

　今回説明した〈NDL サーチから現役レファ本を見つけるワザ〉は、前記【表 10-2】の④を応用したもの。前項目で説明した参考図書解題は②にあたる。❶は前著第 3 講で説明した。❺は前著第 13 講で説明した。❻は本書第 8 講で説明している。

（注1）原理的には国立国会図書館分類法（NDLC）や件名（NDLSH）と掛け合わせてもレファ本リストは作れるが、それぞれ癖があるので本書では説明しない。
（注2）NDC で検索する際には、検索結果が多くなり過ぎないかぎり、なるべく前方一致「○○○＊」で検索するとよい。
（注3）＜　＞内は NDL の請求記号。

第11講
洋書はCiNii。それって常識?
——出たはずの本を見つける

洋書は CiNii。それって常識?

　ちょっと前だったか、ツイッター改め X で、洋書を旧 NDL オンライン
で探したが無い、とか、それなら CiNii ブックスを引けば、などというや
り取りを見た。

　戦前の帝国図書館は洋書も広い分野を集めていたが、戦後の国会図書館
（NDL）で洋書はあまりない（国会附属として法律の洋書はかなりある）。
一方でネットが 1990 年代後半に普及するまで、洋書を買って持っている
というのは特権的なことで、大きな大学の図書館は海外の一線的研究を
フォローするために一生懸命洋書を買っていた。だからもともと大学図書
館の総合目録だった CiNii ブックスで洋書が見つかるのは、ある種、当た
り前なわけである。

　しかし、この「当たり前」どこにも書いてないようなのだ。

　洋書を見つけるなら、最初に CiNii ブックスを引き、山手線沿線私立大
学図書館コンソーシアム横断検索【図 11-1】を引き、ダメ元で NDL 系を
引き、それでも見つからなければ「そんな本ホントにあるんかいな」と
WorldCat で書誌事項を確かめる、といった段取りが洋書探しの当たり前。

【図11-1】人文リンク集の蔵書目録の項

お手軽作業表（資料形態別）

「見たことも聞いたこともない本」ならいざしらず（前著『調べる技術』第5講）、著者やタイトル、出版社などに手がかりがある本ならば、とりあえず、和書か洋書など資料種別に従い、【表11-1】掲載の順番でOPAC（オンラインの蔵書目録）を検索するとよいだろう。

引く順番は、データ量の多寡を基本としたが、ユーザーインターフェイスの良さ（例えばNDLサーチで洋書を引く場合、和書がノイズになる）も加味してある。

【表11-1】本さがしでツールを使う順番

資料種別	ツールを使う順番
和書	NDL サーチ （>CiNii ブックス）飛ばしても可 >> 山手線コンソーシアム >>> ディープ・ライブラリー >>>> カーリルローカル（地域資料の場合） >>>>>Google ブックス
洋書	CiNii ブックス か NDL サーチ > 山手線コンソーシアム >>WorldCat >>>Google ブックス
古典籍・漢籍	国書データベース >NDL サーチ >> CiNii ブックス
雑誌	NDL サーチ > CiNii ブックス >> 三康図書館、成田山仏教図書館 >>> 日本近代文学館 >>>> 県内新聞雑誌総合目録 *
新聞	NDL サーチ > CiNii ブックス >> 明治新聞雑誌文庫（明探） >>> 県内新聞雑誌総合目録 *

* 各都道府県立図書館がメンテしている所蔵リストが各図書館 HP にある。

　どれかに引っかかれば、所蔵図書館がどこか明確に分かるので、あとはそこで閲覧できるかどうかを検討することになる。ついでに正確な書誌データをゲットできるわけで、そのデータを元に、Amazon や、古書販売サイト「日本の古本屋」で検索し、在庫があればお金を出して買うこともできるだろう。

　また、和書でも洋書でも最後の仕上げに、Google ブックスを書誌データで検索すること。冊子体の蔵書目録（の本文）がこれで引っかかり、所蔵先が分かることがある。もちろん、フツーにググってみることは言うまでもない（ネットにさらしてあるどこかの蔵書リストが引っかかることがある）。

【表11-1】中のDBサイトはNDL人文リンク集にあるし、名前でググれば出てくるが、ひとつだけ「県内新聞雑誌総合目録＊」はNDLリサーチ・ナビ内の調べ方案内「新聞の所蔵機関を調べるには」を参照してほしい。

・新聞の所蔵機関を調べるには（NDLリサーチ・ナビ内）

（https://ndlsearch.ndl.go.jp/rnavi/newspapers/post_700037）

おわり、ではちょっとさみしいので以下に補足の説明をしておく。

「館種」から解きほぐす

前著第3講で説明した人文リンク集「蔵書目録」の項【図11-1】には個別具体的な機関のOPACが何十サイトも並んでいるが、機関、主に図書館の「館種」ごとに生じる、次のような所蔵傾向の違いが反映されている。【表11-1】はそれを考えて作ったものだ。

例えば、洋書なら国立図書館や公共図書館には少ないので、大学図書館を探すことになる。

a. 国立図書館（日本ではNDL）に建前上、国内刊行物が全て集まるはずである。また、NDLは「Books on Japan」（日本に関する洋書）もかなり集めている。

b. 大学図書館は研究用と教育用の和洋図書、雑誌を集めてきた。一流大学では特に洋書に力を入れてきたはず。

c. 公共図書館で洋書に力を入れてきた館はないはずだが、広域自治体立（都道府県立）図書館は、堅い本や郷土資料の長期保存をしてきたはずである。基礎自治体立（市町村立）のうち、指定都市立は広域自治体立に準じる活動をしてきたはず。

d. 技術文献や専門文献は専門図書館（行政府や企業の図書室）にあるはず。

たとえば、洋書一般を探す場合、「NDLサーチを引く必要はほぼない」

ということになる。

さらに制度から漏れる理由を個別に考えてフォロー

　「はず」を連呼するのは、制度と実態は当然ズレるからだ。たとえば法定納本でNDLに全ての和図書、雑誌、新聞が集まるはずだが、意外とないことがある（これを「未収本」「未納本」「欠本」「欠号」などと呼ぶ）。その場合どうするか？　探しているアイテムごとに、なぜ漏れるのかを推理して探す場所を考えるのだ。美麗で高価な限定本で未収本であれば、文学館や日本の古本屋を探さねばならないし、ググったり、Googleブックスで所蔵者を探して見せてもらうという奥の手もある。雑本、娯楽雑誌、エロ本でNDLに無ければ、日本の古本屋やヤフオク・メルカリ、アマゾンマケプレ頼みになってしまう（本書第2講）。

　【表11-1】で、和書→NDLサーチ、洋書→CiNiiブックス、と一対一でなく、あくまで「順番」なのは、どのDBもきっちり建前通りの中身でないし、「（出るはずのもので）出ない場合に次の手を考える（知っている）」のがベテランのレファレンサーだからである。

主要な蔵書目録の解説

　人文リンク集で、「蔵書目録」に挙げられているリンクから、大枠で意味のあるものだけを取り上げて、特に成立の由来に注目し、書誌データ情報源を説明すると次のようになる。

総合目録・国立図書館目録
・CiNii ブックス
　　　国内の大学図書館1,300館が参加。前身WebCatの時代は洋書を探

す場合、第一に使うものだった。今は NDL サーチにも書誌データを出しているので、1 回しか引きたくない場合は NDL サーチを引く。ただし洋書を探す場合にはこちらのほうが使い勝手がよい気がする。

・NDL サーチ

NDL の OPAC（旧 NDL オンライン）と、旧 NDL サーチを 2024 年 1 月に統合した DB。サーチはもともと 47 都道府県立図書館の総合目録。おまけで NDL リサーチ・ナビ内の調べ方案内、レファレンス協同 DB の回答文などがてんこ盛りで系統的検索に不向きだが、既知文献や固有名詞での検索には向く。

・WorldCat

各国国立図書館など、世界 71,000 館が参加。日本からは NDL と早稲田大学などが参加。北米大学の日本研究資料（マンガ雑誌もある！）がヒットすることも。英語・ドイツ語・フランス語など、洋書の書誌情報を確認するならまずここ。

・カーリルローカル

カーリルの地域資料（郷土史、行政資料）版。カーリルは公共図書館の横断検索のようなもの。

・ディープ・ライブラリー

国内の専門図書館多数館が参加。余談だが、行政府の図書室は専門図書館だが、戦後日本では NDL の「支部図書館」といい、冊子目録時代は総合目録が公開されていた。現在は一般に公開されていない。

・山手線沿線私立大学図書館コンソーシアム 横断検索

青山学院大学など、都心部の有力 9 大学の横断検索。CiNii 参加館でも特別コレクションなど、諸事情でこちらしか出ない書誌データがある。

・美術図書館横断検索（NDL 人文リンク集＞美術にリンク）

一般人からすると「本」のように見えてしまうのに、実は普通の本ではないものに展覧会目録（図録）がある。展覧会開催中にのみ販売され、NDL に無いものも多いのでこの横断検索サイトを知っておくと

よいだろう。

単館 OPAC

　各図書館で自前で持っている OPAC。人文リンク集では「総合目録に未収録の資料」なる項目に分散してリンクしてある。事情で総合目録・横断検索に参加していないが、重要な図書館の目録。あるいは文学館など、図書館でない機関の図書目録も重要なのでここで厳選して挙げておく。

・**早稲田大学学術情報システム WINE**

　　　　図書は CiNii 未収録（WorldCat 収録）

・**慶應義塾大学 KOSMOS**

　　　　図書は CiNii 未収録

・**日本近代文学館**

　　　　図書・雑誌検索でレアな同人誌などが見つかる。

・**神奈川近代文学館**

　　　　日本近代文学館と同様だが、原稿、ノート、書簡、チラシ、写真などもデータ登載されている。

検索事例

『日本地図共販史』（日本地図共販、1996）

　地図の出版流通史を知りたいと、「そういえば「日本地図共販」って地図の取次会社があったな」と思い「日本地図共販　歴史」で Google ブックスを検索すると、『日本出版関係書目』が引っかかり、次の文献があるとわかった。読みたい。

・日本地図共販史:The 50th anniversary / 50周年推進委員会編. 東京:日本地図共販, 1996.7. 51p

→ NDL サーチを引いたところ、長崎県立長崎図書館にのみ 1 冊あることがわかった【図 11-2】。しかし、ちと遠い。念のため CiNii ブックスを引いたがなし（新 NDL サーチでは連携しているので引かなくてよい）。山手線コンソーシアムにもなし。慶大、早大にもなし。カーリルローカルで一番データが多いだろうと「東京都」を選択して引いたら、なんと千代田区立図書館で 1 件ヒット！　よく考えたら出版業は東京都千代田区の地場産業だった【図 11-3】。

【図 11-2】NDL サーチの結果

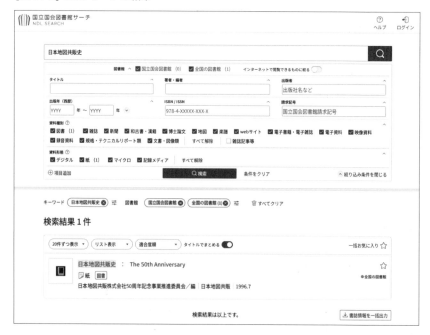

【図 11-3】カーリルローカルでレア文献がヒットすることも

『ボン書店月報』

　内堀弘『ボン書店の幻：モダニズム出版社の光と影』（ちくま文庫、2008）は名著の呼び声高い。先端的な詩集専門出版社だったボン書店のPR月報を見たい。

　→ NDL サーチで「ボン書店　月報」を検索すると、神奈川近代文学館の所蔵情報が出る【図 11-4】。山手線コンソーシアムには出ず。ディープ・ライブラリーを引くと 1 件ヒットするが、データ提供元でブラウザの検索を「ボン」でかけて見ると「フルボン赤春堂古本目ろく」がノイズになったものと判明。さすがにカーリルローカル東京都にはなし。「日本の古本屋」にもなし。念のため日本近代文学館の図書・雑誌検索を見ると、4 号だけ所蔵していた。

『全国出版業者調』（1935）

　内務省警保局図書課が 1935 年に『全国主要新聞紙雑誌調』をまとめた際に、一緒に『全国出版業者調』というものを出したらしい。どこにあるか？

　→ NDL サーチなし、ディープ・ライブラリー、カーリルローカル東京

【図 11-4】神奈川近代文学館 > 図書・雑誌検索の結果

【図 11-5】山手線コンソーシアムの結果

都なし。山手線コンソーシアムを引くと明治大学にあることがわかった
【図11-5】。ググると一人、自分の論文で使っている人がいるが、明大の
ものを使ったものか？

追加説明

総合目録と横断検索

　ここでは一応、「総合目録」と「横断検索」を呼び分けておいた。総合目録は書誌データを集中管理しているのに対し、横断検索は、検索の度に元サイトまで検索をしにいくので時間が多少かかったりする。元サイトが落ちていれば、そのサイトの結果は出ない。

本の、記載言語による呼び方

　「洋書」と書いたが、これは主にラテン文字（アルファベット）で本文が表記されている西洋書籍のこと。対して日本語本文の場合には「和書」という。図書館界でかつて漢籍は「和漢書」と和書と一緒に扱われていた。中国語、朝鮮語の本は漢書と一緒に扱われたり、独立して「中朝」と扱われたりしたが、ここでは和書と洋書の話をする。漢籍を探す技術は別に必要だからだ。また、主に図書（＝書籍）の話に限定する。

「出たはずの本を見つける」という表題について

　「出たはずの本」とは図書館学でいう「既知文献」のことである。著者名かタイトルか出版社か出版年か、あるいはそれら全部が不明だが出たという事実か、なんらかの手がかりがある本のこと。逆に「見たことも聞いたこともない本」とは「未知文献」のこと。未知文献を探す手段は、図書館学で主題標目（件名 or 分類）ということになっており、前著第5講（件名）および本書第9講（分類）で説明してある。

○愚痴

　今回、改めて各OPACサイトのaboutの項目を読んでみたが、要するにそこで何がどれほど見つかるのか、利用者向けのわかりやすい要約がほとんどない。なんというか、知のナントカが……といった決意表明文になってしまっている。レファレンス・ツールについての『暮しの手帖』（商品比較テストが大きな売りだった）が必要だと思う。

第12講

風俗本（成人向け図書）を調べるには

──国会図書館の蔵書を中心に

はじめに

ココロに残るレファレンス──『さぶ』や『アドン』の欠号は？

　公務員としてだけでなく、専門職種としての守秘義務は尊いのであまり具体的に書けないのだが、ある時、「『さぶ』とか『アドン』などの欠号はどこへ行けば見られるのか？」とカウンターで聞かれたことがある。

　『さぶ』は「男と男の叙情誌。ホモセクシャルな官能小説、グラフ、エッセイ、情報等を掲載」していた雑誌で（『雑誌新聞総かたろぐ』1985年版）、『アドン』も同類である【図12-1】。

　その時、頭に響いたのは「あっ、そうか。長年にわたる自分の疑問。どうして下品と思われる資料も国立図書館で保存されるのか、その疑問が解けた。実際に借りに来る人がいた」というココロの声だった。お客さんはおそらくLGBTQ研究の史料として欠号を見たかったのだろう──そこまでは聞かなかった。調べものの目的はあまり積極的に聞かない──多少調べものをした人ならご存知のとおり、国会図書館は成人向け図書（エロ本）も集めている。理論上、調べる対象としてだろうとは思っていたが、それが実証された瞬間だった。

図 12-1　『雑誌新聞総かたろぐ』1985 年版より『アドン』の項目

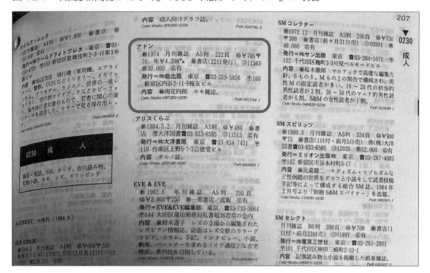

用法上の注意──この講 18 禁

　今回の記事では国会図書館（NDL）の風俗本コレクションを中心に、成人（成年）向け図書の調べ方・ゲットの方法について解説する。「風俗本」とは NDL における成人向け図書の言い換え語である。

　風俗本の歴史やジャンルも俯瞰し、自分が成人向け図書を調べなければならなくなった際に困らない程度の全体観を得てもらう。しかし、成人向け図書は成人しか見てはいけないことになっているので、未成年はこの先、お読みにならないでほしい。

　念のために言うと、ここでは実用書としてのエロ本でなく、主に研究・執筆参考用の資料としての調べ方を説明する。そのためやや古い話が中心となる。直接的消費のための読書でなく、研究やライターのため、つまり生産的読書のための方法である。

　また「エロ本」という用語は直裁にすぎるので、NDL にあわせて適宜「風

俗本」といった言葉を使う。髪型や服装などのことを意味しているようにも見えるが、ここでは同義語と考えていただきたい。

国立図書館には風俗本も集まる──法定納本の意義

　NDL には本がなんでもある（ことになっている）。そこで論理上は風俗本もある。しかし、実際には 20% 程度しかないという計測結果がでており（注 1）、一方でアダルトメディア研究家、安田理央氏に言わせるとそれよりずっと低い納本率だという。それでもふつう図書館に風俗本がないのに対して、包括的収集を標榜する NDL には図書館としてほぼ唯一この手の資料も集まっている。海外の国立図書館にもこの手のコレクションがあるし、最近では LGBTQ 研究の一環で北米の大学図書館に入ったりもしている。

　「エロ本」という言葉は「大震災後の新語」（『書物語辞典』1939）で「モダン語」だったが、次第に古典的な「好色本、春本、淫本」などもこう呼ぶようになったという（『図書・図書館事典』1951）。戦前の内務省では画像系を「春画（春畫）」、テキスト系を「淫本」と呼んで取り締まっていた。NDL では 1963 年に独自分類（NDLC）を作るにあたり、当初「艶笑本」と呼んでいたが、途中で「風俗本」と呼び替えている【図 12-2】。それ以来、NDL 内でこの手の本は風俗本と呼ばれている。

【図 12-2】国立国会図書館分類作成委員会資料 no.28（昭和 38.10.2）

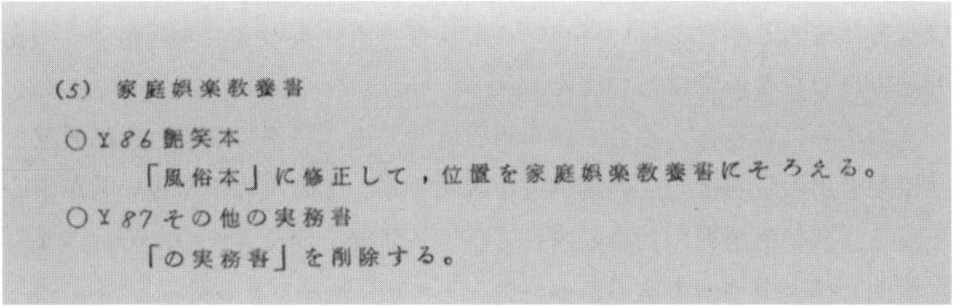

```
(5)　家庭娯楽教養書

〇Y86 艶笑本
　　　「風俗本」に修正して，位置を家庭娯楽教養書にそろえる。
〇Y87 その他の実務書
　　　「の実務書」を削除する。
```

国家百年の計——価値が判らないものをとっておく知恵

　NDLに風俗本もあるという話を聞いた大昔から、ずっとその理由がよく分からなかったのだが、要するに下らない本、下品な本、未成年に有害な本でも年代を経ると資料としての価値が出ることがあり、それに備えるという意味がある。

　戦前、帝国図書館は価値の判断を後世に委ねる資料を「乙部」（B級のこと）として使わせずに保存しておいたが、百年たって明治百年ブームで利用の途が開かれ、レア資料がたくさん出てきてみな喜んだ。

　一方で価値がないとされた「丙部」（C級）には紙製のおもちゃ類、すごろくが含まれていた。サブカル立国となった現代日本にそれらは良い資料となったはずだ。しかし、百年前の日本人に、日本がサブカルで世界制覇するなどと、どうして想像し得ただろう。想像できたとしても帝国臣民にとっては不名誉なことでしかない。価値観自体が転倒しているからだ。

　漏れがあってもよいから国立図書館が全部とっておく「包括的収集」という国際的な慣例はこんな意味がある。風俗本が下るかくだらないか、同時代に即断すると、百年後、間違ったことに気づくだろう。大英博物館で江戸期春画の大規模な展示会があったのはつい10年前のことだった。

風俗本が既知文献の場合——タイトルなどが判っていれば

　『さぶ』とか『アドン』、『薔薇族』など、冒頭のレファ事例のように、あらかじめ調べるべき本のタイトルが明らかであれば、図書館学にいう「既知文献」ということで国立図書館のOPAC（いまはNDLサーチ）を検索すると所蔵の有無がわかる。とりあえず、NDLサーチやWorldCatをタイトルや出版社名で検索すればよい。日本の国立図書館や北米やオセアニアの大学における日本研究コレクションにあるものがヒットするだろう。どう利用するかは個別に苦労しなければならないが。

　しかし「未知文献」を探すのが、本当の探しものではあろう。その場合、

専門の解説つき文献リスト（「解題書誌」という）や、コレクションを有する図書館で目録を分類や件名から検索するのが図書館情報学的な正解となる。

国内の風俗本コレクションの概況

・NDLの「風俗本」

　　法定納本で自動生成されるコレクション。おそらく国内では最大。単行本（図書）だけで約3万冊（請求記号がY85で始まるもの、2024年4月現在）ある。

・NDLの「大衆娯楽誌」の一部

　　雑誌の全容は不明確だが、とりあえずカストリ雑誌（敗戦直後の粗悪な大衆向け娯楽雑誌）なども含む「大衆娯楽誌」に分類されているものは644タイトルある。さらに960タイトルある「漫画・コミック」誌のうち仮に1割が成人向けマンガ主体として、100タイトル以上の成人向け雑誌を所蔵していることになる（これらは2023年11月の値）。

・戦前の「発禁本」

　　戦前発禁本の副本と正本をあわせた2106件に「風俗壊乱」とされた本がNDLにあるが、その一部は性風俗関係、つまり風俗本に該当する。

・風俗資料館（東京都新宿区）

　　SM・フェティシズム専門図書館。会員制。蔵書量は1万7千冊という。

・米沢嘉博記念図書館・現代マンガ図書館（明治大学付属）

　　同人誌即売会・コミックマーケット（コミケ）代表だった米澤嘉博のコレクション。戦前風俗本、カストリ雑誌、「三流劇画誌」、美少女マンガ誌を所蔵する。

・城市郎文庫（明治大学和泉図書館）

　　発禁本コレクターの旧蔵書。約1万冊。戦前発禁本だけでなく戦後の刑法175条摘発本を含む。貴重書扱い。冊子目録『城市郎文庫目録』

（2017）が出版されている。

・**山本文庫（立命館大学社会学部）**

　『カストリ雑誌研究』著者、山本明が1970年代に集めたカストリ雑誌1300冊。閲覧は難しい。

・**福島鑄郎コレクション（早稲田大学）**

　戦後雑誌の収集に生涯をかけた在野研究者によるコレクション。カストリ雑誌を多く含む。

・**コミックマーケット見本誌**

　2007年段階で200万冊近いものがあり、そのうち何割かは性的表現を含む「成人向け同人誌」だが、一般公開していない。

　他にも個人が保有する研究的コレクションを2、3知ってはいるが、ここには書かない。一般論として実用コレクションは当人の「性癖」に従ってとてもジャンルとして狭くなると安田理央氏が指摘している（注2）。総合的に展望する研究には使いづらいだろう。

見たことも聞いたこともない風俗本を探す

風俗本の解題書誌

　しかし、そもそも何が風俗本なのかわからない場合に探す際にはどうすればよいか。何が風俗本か、特定のタイトルを知りたいこともあろうし、「美少女マンガ誌」といったジャンルとその代表的タイトル群、あるいは悉皆リストを入手したいといったニーズもあろう。

　NDLサーチの分類がうまく機能すればいいのだが、諸事情から限定的なので専門書誌に頼ることになる。とはいえ、風俗本の専門書誌に厳密に該当するものは多くなく、専門書誌として使えるもの【図12-3】を紹介する（「として法」）。

〈全般を知る〉

・松沢呉一『エロスの原風景:江戸時代～昭和50年代後半のエロ出版史』
ポット出版、2009

　　カストリ雑誌、吉原細見、自販機本、フレンチ・ポストカード、実話
誌といった、出版形態ごとに展望してジャンルを把握できる。代表的な
風俗雑誌『夫婦生活』や『漫画讀本』について詳述するとともに、梅原
北明など特殊な出版人も立項。

・『日本昭和エロ大全（タツミムック）』辰巳出版、2020

　　戦後（昭和後期）が記述対象だが、いわゆる本を網羅するだけでなく、
成人映画、アダルトビデオ、テレビ（お色気番組、CM）など他のメディ
アも広く抑えてある。各メディアごとに簡易年表があるのが便利。

・城市郎「発禁本」シリーズ（1999-2003）

　　城の発禁本コレクション全体を、コミケ代表だった米沢嘉博が構成し
て紹介する本。「書名・人名総索引」が『発禁本 3』にある。

『発禁本：明治・大正・昭和・平成：城市郎コレクション（別冊太陽）』
平凡社、1999

『地下本の世界（別冊太陽 . 発禁本 ;2)』平凡社、2001

『発禁本 3（別冊太陽）』平凡社、2002

『城市郎の発禁本人生（別冊太陽）』平凡社、2003

〈前近代のものを調べる〉
・**白倉敬彦『絵入春画艶本目録』平凡社、2007**

　江戸期刊行の春画艶本（組物を含む）約 850 点を収録。ただし肉筆春
画や春画のない艶本（好色本）は除く。全点に書名の読み、内題、改題、
既刊復刻本などを記した簡単な解題を付す。うち約 500 点は図版も収録。
排列は角書きを除く書名の五十音順。巻末に画師索引（五十音順）、春
画艶本年表がある。

・**林美一『林美一江戸艶本集成 総目録　（江戸艶本大事典）』河出書房新
社、2014**

　約 1000 点の艶本、春画の解題書誌。原典からのオリジナル図版 700
点を収録。

・**艶本研究刊行会編『日本艶本大集成』緑園書房、1959**

　平安朝の説話文学から昭和 20 年代の三島由紀夫まで、まんべんなく
テキスト系を部分収録したもの。すべてに簡単な解題がつくので全体観
を得るのに便利。戦前の特殊雑誌の解題もある。初版は風俗資料出版社
（1953 年）らしいが、紙型本（ゾッキ本——特価本——の一種）とし
て広く普及したらしく、ほかに魚住書店版（1965）などがある。巻頭言
に初代国立国会図書館長・金森徳次郎がことばを寄せているが、後版で
は削除されている。

〈戦前のものを調べる〉

・斎藤夜居『大正昭和艶本資料の探究』芳賀書店、1969

葬儀社から古書店へ転業した古書コレクター、斎藤夜居（よずえ）がまとめたハンドブック。宮武外骨、梅原北明といった戦前出版人や彼らの出した特殊雑誌に詳しい。ひとむかし前は風俗本研究の基本書だった。

・谷沢永一編・解題『性・風俗・軟派文献書誌解題集成』金沢文圃閣、2009-2010、全4巻

明治初めから1950年代までに出版された風俗本の網羅的な解題書誌として使える戦前の限定出版を復刻したもの。第4巻巻末に「収録書名索引」、「出版社（発行所）索引」あり。ただし第1巻所収「現代猟奇作家版元人名録」（p.83-108）のデータは4巻の索引に含まれないため、並行して検索しなければならない。

〈戦後のものを調べる〉

・長谷川卓也『押収本のカタログ:猟奇から愛のコリーダまで』名古屋豆本、1977

1947年1月から1976年7月までに刑法175条容疑で押収された市販本のリスト。解題はつかないが、戦後の網羅的リストは他にない。

風俗雑誌の解題書誌

本来、風俗雑誌は風俗本の下位概念だが、便宜的に別に立項しておく。風俗に限らず雑誌は個人が長期保存するのが難しいため、機関所蔵のものを活用する必要が本来はある。

・『雑誌新聞総かたろぐ』メディア・リサーチ・センター、1978-2019

本来、広告を出稿するためのカタログだが、独自分類が十分に細かく、風俗雑誌を探すのに最も便利なツール。項目「0230 成人」（2004年版から「0230 アダルト誌」）に「成人、官能小説、各種風俗情報等」関係の紙誌が列挙される。成年コミック誌は「0240 漫画・劇画」（2005年版〜「0240 コミック」）に含まれる。

- 『戦後セクシー雑誌大全:実話と画報・篇』まんだらけ出版、2001

　　「日本セクシー雑誌主要出版社マップ」（p.20-23）が便利。
- 山本明『カストリ雑誌研究：シンボルにみる風俗史（中公文庫）』中央公論社、1998

　　戦争直後の俗悪雑誌とされる「カストリ雑誌」の研究書。巻末の年表が貴重だが、元版（出版ニュース社、1976）のほうがタイトルがゴチック体でリストとして使いやすい。
- 安田理央『日本エロ本全史 = All about Japanese Porno magazine』太田出版、2019

　　並列タイトルにあるように雑誌の解題書誌。1946年から2018年まで100点を採録するが、70年代以降が多い。

成人向けマンガの解題書誌
- 新野安、氷上絢一編著、永山薫[ほか]著『エロマンガベスト100+ = THE 100 BEST ERO-MANGAS』三才ブックス、2022

　　1970年代以降の成人向けマンガ100点を時代順に排列し解説する。コラム記事「エロマンガ誌の世界」で十年ごとの雑誌概観がわかり、また、巻末に有名な『シベール』（1981）以降の同人誌も解説する。エロマンガ・アニメは英語で「hentai」と呼ばれるようになった。

　　1970年代隆盛を誇ったエロ劇画については、『三流劇画の世界（別冊新評）』（新評社、1979）ぐらいしか思いつかない。米沢嘉博『戦後エロマンガ史』（青林工藝舎、2010）も参考になろう。

風俗本を使った研究

風俗本を使った研究書も文献典拠があるので結果として書誌的に使える。いくつか代表的なものを紹介しておく。
- 赤川学『セクシュアリティの歴史社会学』勁草書房、1999

　　オナニー有害論や明治の性科学書『造化機論』が風俗本として使われた

件など。

・稀見理都『エロマンガ表現史 = The Expression History of Ero-Manga』太田出版、2017
・大尾侑子『地下出版のメディア史:エロ・グロ、珍書屋、教養主義』慶應義塾大学出版会、2022

NDL の風俗本を探す

NDL で本を探す場合には、図書、雑誌新聞、その他の 3 つにわけて探す。まず「図書」(これは NDL 用語で単行本のことだが、年鑑や不定期刊の逐次刊行物、ムックも含むことがある) から。

図書

1964 年、国立国会図書館分類表 (以下、NDLC) の簡易整理資料の一項目として「Y85　風俗本」が立項され【図 12-4】、NDL における風俗本の存在が明示的になったが、適用実績にブレがあったり、関連項目との役割分担が不明確だったりして、他の項目も検索する必要が残る。

a-1. 現代の風俗本 (1964 年以降受け入れ)

NDL サーチで、請求記号に「Y85-*」と入力して検索する (末尾に * をつけ前方一致にする)。「項目追加」で分類 NDLC の検索窓を出し、「Y85」を入れて検索してもよいが、1000 点ほど漏れが出る。

【図12-4】国立国会図書館分類表より

Y	児童図書・教科書・簡易整理資料	**Y**

簡易整理資料 (つづき)

85　　風俗本

86　　布教書

88　　実務書その他

95　　一時的利用価値のみを有すると認められる資料
〔ここには，「図書館資料の整理区分に関する件」により，E整理に指定された資料を収める。〕

97　　大型本・横長本
〔ここには，Y71〜88のうち，縦35cm以上または横30cm以上のものを収める。〕

99　　豆本
〔ここには，10cm以下のものを収める。〕

a-2.「成年コミック」:1992年〜

　網羅的ではないが、1992年頃から書誌データの注記欄に「成年コミック」と記載され始めた。NDLサーチで検索する場合は、キーワード欄に「成年コミック」と入力して検索する。ノイズを排除するため、画面最上部検索窓の下「全国の図書館」のチェックボックスを外すか、請求記号に「Y84-*」と入力してかけ合わせ検索するとよいだろう。1992年以前は出版社や専門書誌などを使って検索することになる。

a-3.「娯楽的・風俗的写真集、画集」（Y89）:2002年以降受け入れのもの

　NDLCで「KC726」、「KC727」、「YP16」、「YQ11」など芸術分野の下位項目に分類されている人物写真集と、「Y85」に分類されているヌード写真集の中間にあたるアイドル写真集などが分類されている。NDLサーチで検索する場合は、「詳細検索」画面の分類欄に「Y89」と入力して検索

する。これでヒットするもので請求記号が「YU47」で始まるものはDVD
などとのセット出版である。明確に風俗本でDVDなどと組み合わせの写
真集は「YU31」で検索する。

b. 戦後の風俗本（1948 ～ 1964 年以前受け入れ）

分類から一括して検索できないので、専門書誌を参照する。

c. 戦前の風俗本（1923 年～）

発禁本のコレクションがあり、その半分が「風俗壊乱」と思われる。検
閲正本（注3）には「風俗禁止」などの押印があるので【図12-5】「風俗壊乱」
か「安寧秩序紊乱」か判るが、判らなければ国会図書館員がこっそり造っ
た『昭和書籍雑誌新聞発禁年表』を参照する。

【図12-5】小川隆四郎編述『妊娠調節の実知識』（大正 13 年 8 月序）

　ちなみに戦前、娯楽的写真集は出版されていなかったという（秋山正美『古本術：売るための買いかた』夏目書房、1994）。

雑誌・新聞

　風俗雑誌は、NDLC 分類で「ZY11　大衆娯楽誌」もしくは「ZY12　漫画・コミック」に含まれるが、抽出が難しいので『雑誌新聞総かたろぐ』などの専門書誌を見るのがよいだろう。

　数はずっと少ないが新聞も同様で、カストリ新聞は「ZZ33　芸術・娯楽・スポーツ」に含まれる。新聞 54 紙の復刻『カストリ新聞：昭和二十年代の世相と社会』（大空社、1995）が参考になる。

その他

・府川充男コレクション<請求記号:Y811-3>

　準コレクションとなっている府川充男氏（印刷史研究家）による寄贈資料に、いわゆる「ビニール本」9 点が含まれる。図書別室で資料請求・閲覧する。

・東京都の有害図書

　1964 年から指定された 1120 冊が 1981 年に寄贈されたが「当分公開いたしません」（『朝日新聞』1981.7.7）ということで閲覧できない。当時の記事では従来 NDL にないとされてきた『百万人の夜』やビニール本もあるという。近年の記事は「国会図書館"地下コレ"『不健全』本も収集『時代の変遷分かる』」（『東京新聞』2009.1.6）。

NDL 以外で風俗本を探す

専門書店

　神保町には、風俗本も扱う専門書店がいくつかある。新刊なら芳賀書店やアムールショップなどがある。古本は荒魂書店、文献書院＆ブンケンロックサイドといったところだろう。

資料として古い風俗本を収集したいのであれば、古書店・股旅堂の目録を取り寄せるとよい。1960年代前後までの古めの風俗本が一覧できる。堅い古本屋についてはサイト「日本の古本屋」を参照する。

　オンラインで買う場合にはヤフオクの「その他＞アダルト」項目以下に「本」がある。また日本の古本屋でも風俗本の扱いがあるが、原則としてログインして検索しないと結果表示されない。

専門サイト

　・SMペディア：SM大百科事典

　主要項目一覧に「SM関連出版：雑誌 – 出版社 - 編集者」があり、SMに限らず風俗出版社、風俗雑誌一般を調べる際に参考になる。

女性向け

　私は男性なので不得意だが、当然、女性向け風俗本の調べ方もありえる。レディース・コミック、BLなどに特化した調べ方も必要だろう。例えば『雑誌新聞総かたろぐ』の当該項を丹念に見ると、レズビアン向けの雑誌が古くからでていることがわかる。

動画（AV）について

　2000年に納本制度がパッケージ系電子出版物にも拡張され、アダルトビデオ（AV）も自動的にNDLへの納入義務が法定された。それにあわせてNDLCでも、VHSでYL217、DVDでYL327といった分類項目が設定されている。しかし動画について私はよく解らない。

　動画に限らず、メディア全般について近年および現在の動向を総覧するには『アダルトメディア年鑑』（イースト・プレス、2024〜）がほぼ唯一頼りになる。

職業倫理のはなしあれこれ

　前職の司書時代、レファレンスのスキルを身につけることができたのは、本講の件も含めてオールラウンドに、自分以外の人の知りたいこと、すべてに（わりとまじめに）付き合ったからだろうと思う。今から振り返ってスキルアップに重要なことをメモしておく。

ココロに残るレファレンス

　司書（調べものをやるひと一般でもよい）の成長にとって重要なのは、ニーズの多いレファレンスではなく、ココロに残るレファレンスである。振り返ってみると、そこには意外な論点や解決法、自分の成長点といったものが見つかる。それがたとえ未解決のものであってもだ。風俗本の資料性について改めて言語化するきっかけになったのが、冒頭に書いた質問であった。

セクハラ避け呪符として

　たまに、純粋な（？）セクハラとして風俗本のことを聞いてくるユーザがいる。さすがに永田町の NDL までわざわざ来る人に多くはなかったが、それでも一度、見かけたのですぐ女性職員から引き取った憶えがある。第一線の図書館や書店ではそのような人物も出現することだろう。

　今回の記事はスジの悪いお客に対する魔除け機能もある。レファレンスというのは本来、セルフでやるものなので、本人がちゃんと自分で調べられればそれが一番よい。司書や書店員が風俗本について聞かれて困った場合には、この記事を示して自分でやってもらえばよいだろう。

　現役時代、ずっとこの種の調べ方案内が必要だと思ってきたが、今回ようやく公開できて本当に良かった。

調べるものの上品下品について

　これに関連して言うと、司書側——風俗本を所蔵する国会図書館員は特

に——風俗本閲覧者にも他の閲覧者と同じように対応すべきだろう。「請求された資料が○○だから」——○○には何を入れてもよい——という理由で不親切にしたり、道徳的に劣位に置いたりする必要は全くない。よくよく心したいものだ。見せられないものは不開示理由を明示して見せなければよい。

マジメなことを不真面目に、不まじめなことをマジメに

尊卑、上品下品、マジメ不まじめ、趣味仕事、恥ずかしい恥ずかしくないなど、世の中にはいろいろな価値の序列があり、それに応じてそれぞれの主題の本も出る。調べもので重要なのは、逆さの観点で記述した本に目をつけておくことだ。

マジメなことを面白く記述した本、不まじめなことをマジメに分析した本があれば、それは先々で意外な調べものに使える。

例えば米国議会図書館の件名細目に「-humor」というものがあり、「library science — humor」で検索すると、図書館ユーモア（そういった本が本当にあるのです、英語だと）についての本がいくつか見つかる。これらのうちの一つが、図書館学の裏ハンドブックにまで発展して、面白い事実がいろいろ拾える、といった具合である。今回も、風俗本についてマジメに論じた本が解題書誌として得難い機能を発揮している。

（注1）木川田朱美、辻慶太「国立国会図書館におけるポルノグラフィの納本状況」『図書館界』61（4）2009.11
（注2）安田理央「エロ研究のリファレンス書籍ガイド・エロ本編」『近代出版研究』（3）2024.4
（注3）戦前は検閲のため内務省などへ納本する義務が法定されていた。図書は2部、内務省へ納本されたが、片方が正本とされ、発禁本に指定されると内務省内に保存された。副本とされた2部目は帝国図書館に回付され、蔵書となり、戦後NDLに継承された。

第13講
「ナウい」言葉が死語になる時
──言葉の流行りすたりや作家の人気度を測る

はじめに

テキストマイニングって知っているだろうか？ 【図13-1】のようなワードクラウドを作る技術だ。これは、ある文章に出てくる言葉の数を数えて、回数により重み付けをして大きく示してくれる図である。

【図13-1】本講のワードクラウド

では特定の単語の出現頻度が、だんだん増えているのか減っているのか、経年変化の増減を知るにはどうしたらいいだろう？ そういう場合には「Google Trends（グーグルトレンド）」が有名だ（どんな言葉がどれだ

け検索されているかがわかる）。2008年から日本語版が使えるようになり、2004年からのデータを見ることができる。これは、ググられた言葉の頻度が分かるので、いわゆる「流行り」を知るのに使える。

　ただ、流行りは自然に皆に知られる傾向にあるので（だから流行りなのだが）、自分で調べる場合には、流行りでなく、特定の言葉について、自分が（あるいは自分だけが）知りたい言葉の流行りすたり、長期トレンドを調べることになる。ここでは〈ある言葉の流行りすたりを知る〉にはどのようなレファレンス・ツールを使えばよいか説明してみよう。

ある言葉の使われ始めを調べる──「日国」など紙時代の定番

　特定の単語がいつ頃から使われていたか、それを知る紙メディア時代の定番は、日本最大の国語辞典である小学館の『日本国語大辞典』（日国）を引くことだった。そこに比較的初期の用例（編者が創った作例でなく、実際に使用された文章）が示され、出典も書いてあるので、いつ頃から使われ始めた言葉なのかわかった。いま有料データベース（DB）の「ジャパンナレッジ」経由で、試しにlibraryの訳語「書籍館」を引くとこのような感じである。

　　しょじゃく‐かん［‥クヮン］【書籍館】

【一】〔名〕書物を集めて、人々に閲覧させる施設。図書館。しょせきかん。

　　*日本教育史略〔1877〕概言〈小林儀秀訳〉「此大学校中に書籍館あり」
　　*教育令制定理由〔1879〕文部省上奏・六七章「各地方に於ては
　　　教育に便せんが為に、書籍館を設くることあるべし」
　　*雪中梅〔1886〕〈末広鉄腸〉発端「上野の書籍館（ショジャク
　　　クヮン）へ参り、色々と捜索して、やっと見付けましたから」

　　*社会百面相〔1902〕〈内田魯庵〉貧書生「一生に一度の大作を残し
　　て書籍館（ショジャククヮン）に御厄介を掛けて奈何する気ぢゃ」

　【二】東京都文京区の湯島聖堂内にあった図書館。明治五年(一八七二)
　　　文部省が創設。〔以下略〕

　さらに「日国」でわからない場合には『明治文学全集』（筑摩書房）の
別巻索引を引くという手も残されていた。これは明治時代の文章を単語で
引ける索引で、紙メディア時代、膨大なカードにデータを集積して1冊に
まとめたもの。明治期の「文学」はいまの小説だけでなく、戦争の実録や
新聞の論説などを含む広いジャンルだったので、明治の言葉を広く拾える
索引で、調べものの通に重宝されたものだった（残念ながら大正・昭和の
文学全集には語句索引はない）。

いつ「使われなくなったのか」を調べる：例えば「書籍館」

　しかし、日国である言葉がいつ頃から使われるようになったのかはわ
かっても、いつ頃から死語、廃語になったのか、つまり「使われなくなっ
たのか」はわからなかった。廃語時期までわかってはじめて「トレンド」
がわかったといえるだろう。こういった場合、ここ十数年ほど有料DBだ
が「ざっさくプラス」という記事検索DBを使ってきた。このDBは明治
初めからの雑誌記事を広く検索できるほぼ唯一のDBなのだが（前著『調
べる技術』第7講を参照のこと）、おまけ機能で検索結果一覧の経年変化
棒グラフを自動生成してくれる【図13-2】。

【図13-2】「書籍館」で論題検索した結果の棒グラフ（ざっさくプラスより）

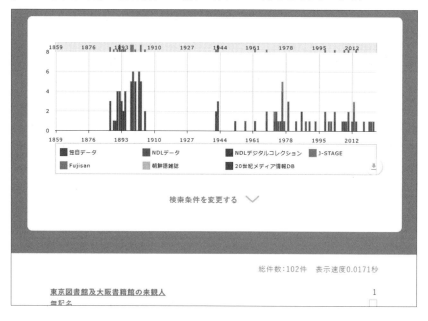

この棒グラフを見ると、1905年以降、パタリと記事の論題で「書籍館」が使われなくなる。一方で、1942年以降チラホラ使用されるが、個別の論題データを実際にチェックすると、図書館史研究や歴史的回顧に限られる。

日国の初期用例も合わせて考えると、「「書籍館」という言葉は、1870年代から1900年代まで使われた言葉である」と言えそうだ。

「いつからか」は紙メディア時代のレファレンス・ツールからもわかったのだが、「いつまで」についてはこういったネット情報源でないとなかなか分からなかった。ここ十数年で我々は新しい調べるツールを手に入れたのである。

・NDL Ngram Viewer
　（https://lab.ndl.go.jp/ngramviewer/）

日本語の Ngram Viewer（N グラムビューア）が出来た

　近年まで言葉の長期トレンドを探るには、前記「ざっさくプラス」のグラフくらいしか手がなかったのだが、2022 年から日本語世界にも「Ngram Viewer（N グラムビューア）」なるものが出来た。これは本の全文を分析しデータ化して、ある言葉（単語やフレーズ）の出現頻度を年代順にグラフにしてくれるサービスだ。ことばの流行りすたりを見える化するサービスとでも言おうか。流行りは従来でもある程度わかったが、すたりがわかるのが本当の意味での新しさなのと、どの言葉でも探せるのがミソだ。

　海外では Google の Ngram Viewer があったが、日本語は対応していなかった。2022 年に国会図書館（NDL）が「NDL Ngram Viewer」を開発し、NDL デジタルコレクションの本文データを搭載して初めて使い物になる Ngram Viewer ができたというわけである。

　ざっさくプラスと違って有料 DB でないこと（＝無課金で引ける）が利点であるし、記事論題レベルでなく、本文レベルの細かい検索ができることも魅力的だ。

試しに「書籍館」で引いてみる

　試しに「書籍館」で引いてみた結果のグラフが【図 13-3】である。

　最初の、グラフの左の山（1870 ～ 1900 年代）は【図 13-2】の結果と符合するから良いとして、1912 年と 1914 年の山がおかしい。こういった〈「外れ値」っぽいものを見つけたら、一応、データ元に戻ってチェックする〉必要がある。幸いにグラフ線のてっぺんをクリックすると自動で NDL デジコレに画面遷移するので、そうしてみる。すると、明治前期の統計書の表側・表頭にある「書籍館」といった項目が引っかかっているのがわかる。

　なぜそれらが明治末年や大正初年に計上されているのかというと、『宮城県統計書』『日本帝国統計摘要』といった統計書が大昔のカード目録の都合で、何十冊分も一括で 1912 年や 1914 年刊行のデータにされてしまっ

【図13-3】NDL Ngram Viewer で「書籍館」を引いた結果

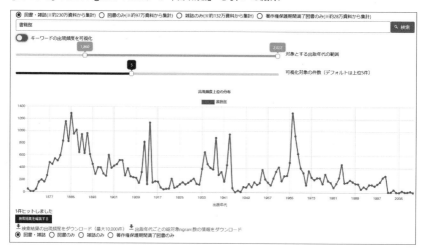

ているからである。いわば「偽のピーク」となっている。これは1966年のピークも同様で、こちらは『文部省年報』が「明治百年ブーム」の影響で1966年に一括復刻されたものがヒットしている。一方で1930年代の山は【図13-2】で見た戦中期の図書館史研究の盛り上がりを反映していそうだ。

Ngram Viewer の読み取りで注意すること

「NDL Ngram Viewer」は「ざっさくプラス」と違って、論題レベルではなく本文レベルを引っかけるので細かいが、それゆえにいくつか注意しなければならないということだろう。数千件レベルの多数のヒットでなく数百件レベルの言葉を調べる場合に「外れ値」に注意し、典拠に戻ってチェックする必要がある。

逆に言うと「ざっさくプラス」のような記事論題のように、情報粒度を一定に揃えたDBをことばの流行りすたりを測るのに使う利点もわかってくる。どんな言葉であれ、すたれて死語となっても、ある種のユーモアや

あるいは研究対象として使われ続ける。大っぴらに使う言葉であるかどうかを見るのに記事論題（新聞DBでも可能）というように情報粒度を一定に揃えることには意味がある。

「レファレンス」か「リファレンス」か

　私は「レファレンス」なるカタカナ語にこだわっていて、その普及——正確には普及していないこと——を前著のコラムに書いた、また、「リファレンス」という言葉との関係も微妙だ。「レ」ファレンスに対して「リ」ファレンスが多いのか少ないのか、知りたいと思うのも自然だろう。そこで、NDL の Ngram Viewer を見てみると【図13-4】のようになる。

【図13-4】レファレンスとリファレンスの経年頻度比較（NDL Ngram Viewer）

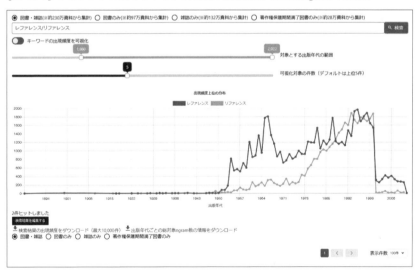

　戦前はほとんど使われない言葉で、1950年代から「レファレンス」が使われはじめるが、1970年代後半から「リファレンス」が伸びはじめ、1980年代後半に「レファレンス」を抜いて並んでいるのがわかる。折れ

線グラフの点をクリックしてデジコレ一覧を見ると、1960年代までの伸びは主に図書館学文献で、1970年代からの伸びは工学などの理系、特にコンピュータ工学文献で使用していたためとわかる。2000年を境にどちらも絶壁のように値が減っているのは、分母（元になるデータ群）に何かあると気付かないといけない。この絶壁の崖はデータ元のデジコレに書籍や雑誌がまだ登載されていない年代だから出来ている崖である。

　ついでに「グーグルトレンド」を見ると、常に「レファレンス」より「リファレンス」の使用例が多いことがわかる【図13-5】。文章語とグーグル検索語では性質が違う。文章は専門家が専門用語で書く傾向に、普通の人はわかりやすい言葉で検索をする傾向があるので、【図13-4】に【図13-5】をそのまま接続して考えるにはリスクがあるが、それでもなお、1980～90年代に「リファレンス」の用例が増えて2000年代以降は多く「リファレンス」が使われるようになったと言ってよいだろう。

【図13-5】レファレンスとリファレンスの経年頻度比較（Google Trends）

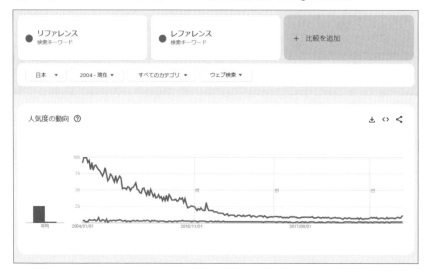

作家の人気調べにも使えそう

　Ngram Viewer は、〈作家の人気調べ〉にも使えるだろう。特に、長い間活躍した文豪や、国民作家と呼ばれた人の人気度、その長期の経年変化を知るのに使えそうである。

　例えば夏目漱石と森鷗外を比べて検索すると、戦前も戦後も、夏目漱石のほうが言及が多いのがわかる【図13-6】。

【図13-6】漱石と鷗外の被言及頻度比較（NDL Ngram Viewer）

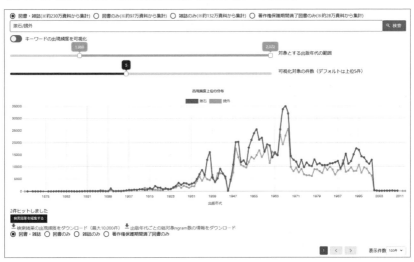

　1942 年あたりに鷗外が漱石より若干人気が出る時代が瞬間あるのだが、これは生誕 80 周年という記念の年でもあった。それに、どうやらこれは当時の軍国主義的風潮を背景にしたものらしい。「ところが鷗外は文筆もやるが、軍医としての職務も人の何倍かやつて」などという文章がデジコレで出てくるのは時代の雰囲気だろう。作家を、軍人としても偉かった、などと褒めることは、現在はない。

　Ngram Viewer の折れ線グラフの読み方として 2000 年以降の絶壁（右端）は説明したが、1969 年から急減するのは漱石や鷗外の人気が急減し

たからではなく、やはり分母の問題であろう。1969 年以降に NDL が整理
した図書の本文データがまだ Ngram Viewer に搭載されていないので、そ
の分が減って見えている。言い換えると 1969 年以降の折れ線は主に雑誌
記事のデータということになる。2000 年以降はほぼデータがないわけだ
が、それでも少しあるのは官公庁出版物などの特殊なデータである。1945
年がどの言葉でも 0 に近くなるのは日本が焦土となりそもそも出版物が出
なかったからだ。

　この先わりとすぐ 1969 年以降 1990 年ごろまでの図書データが追加され
ることになるだろう。さらにここに出てこない新聞紙の本文データが足さ
れるようになるのが楽しみである。10 年くらい先の事だろうか。

漫画家の人気調べにも

　漫画家ではどうだろうと、手塚治虫と水木しげるを検索してみた【図 13-7】。

【図 13-7】手塚治虫と水木しげるの被言及頻度比較（NDL Ngram Viewer）

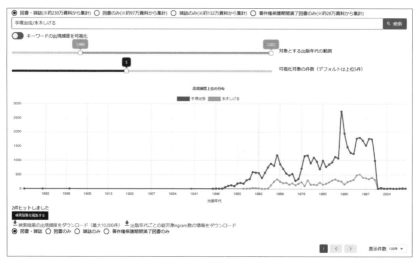

　圧倒的に手塚治虫が多いのだが、1974年に手塚治虫が落ち込んでいるのが目立つ。そういえば『ブラック・ジャック』を書く直前、手塚は不人気であったと、どこかで読んだ記憶がある。あわててウィキペディアの当該項を見ると、まさに『ブラック・ジャック』の連載開始がこの年だと判明した。1989年に異常に伸びているのは、これは手塚の死去の年だからである。1986年に手塚治虫を銀座の映画館で見かけたが、昭和の国民作家を見たと将来回想することになるのかなと、当時思ったことである。

　「グーグルトレンド」で二人を見ると、Ngram Viewer ほどの格差はない。また2010年、NHKの朝の連ドラ『ゲゲゲの女房』放映年と、死去の2015年だけ、水木しげるが突出して多くなっている。

「ナウい」言葉が死語になる時

　むかし『Dr. スランプ』を読んでいたら、登場人物が「ナウい」という言葉をやたら使っていたのを憶えている。ピクシブ百科事典によると「ナウい」は「ほとんど誕生とともに死語化」とあるが、1980年代中は勢力があったことが、Ngram Viewer の検索からわかる【図13-8】。

　「ナウ」だけだとノイズだらけになってしまうので、長めに「ナウい」「ナウな」を検索。さらにそれ以前の同義語「モダーン」を比較してみたのが【図13-8】である。「モダーン」が昭和初年のエロ・グロ・ナンセンス時代にモーレツに流行り、戦時中の外来語排撃を経て、戦後も復活していたことがわかる。また1970年代「ナウな」が入れ替わりに流行ったこともわかる。

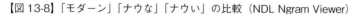

【図 13-8】「モダーン」「ナウな」「ナウい」の比較（NDL Ngram Viewer）

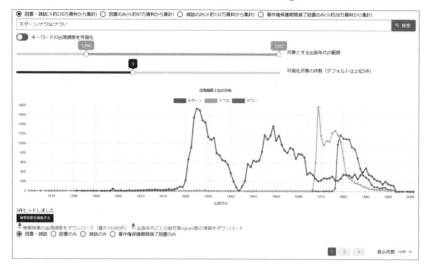

（まとめ）ことばの長期トレンドを調べる方法

まとめるとこのようになろうか。

・有料DBだが「ざっさくプラス」がとりあえず簡便。使用例のオンオフが明確で分母も一定なので使いやすい。ただし、1996年から分母が3倍化し（主要データ元の一つ、NDLが採録誌を3倍に増やした）どのような主題でも絶対値が3倍に見かけ上見える点に注意する。

・無料DBの「NDL Ngram Viewer」が新たに使えるようになった。ただし、グラフの読み取りに注意が必要。「外れ値」はソースのデジコレへ飛んでざっとチェックする。2000年以降の絶壁の崖は分母の資料群が未搭載なのに原因がある。

・2004年以降は「グーグルトレンド」でわかるが、メディアやHPに載った言葉でなく、検索された言葉である点に注意。文語でなく口語寄り。

・結果の棒グラフ、折れ線グラフを鵜呑みにせず、いくつかソースに戻っ

て確認すること。特に「外れ値」、つまり極端に多くなったり少なくなっている場合は注意する。

・絶対数の多寡でなく経年の「傾き」に注目して使う。あるいは、他の言葉との「比較」をするのに使える。絶対数が数百レベルより少ない場合は適宜、元データをチェックすると安全。

・おそらくありとあらゆる単語でオモシロいことがわかる。ただし、その言葉や事柄である程度の予備知識がないと解釈で失敗することがある。日本国語大辞典やウィキペディア等を併用すること。

・比較する場合に、同義語、類義語、対義語を用いるとよい。その際には類語辞典（シソーラス）などを活用する。

・分母（データ元・ソース）に注意。図書、雑誌（将来は新聞も）の別や、登載データの年代も確認して、誤解釈を避ける。

参考文献

・坂本博「現場からの提言 データベースの活用には目的適合性の検証を：『雑誌記事索引』を例に」『図書館界』61（3）p.202-206, 2009.9　NDL雑誌記事索引の論題数を言説の多寡に直結するリスクを指摘。特に1996年から2000年の採録誌3倍化に注意すべきという。

・日比嘉高「NDL Ngram Viewerを使って「私小説」概念の歴史を大づかみしてみた」日比嘉高研究室2022-06-05（https://hibi.hatenadiary.jp/entry/2022/06/05/012005）1冊の本に含まれる語句の数がそのままカウントされることに注意を喚起している。

・OKADA ShowHey@okadash0104　午後0:29　2024年2月11日のX（旧Twitter）の投稿（https://twitter.com/okadash0104/status/1756520731524124840）。Nグラムビューアで、松本清張、江戸川乱歩、横溝正史、鮎川哲也を比較している。

第14講
言葉の来歴（語誌）を調べる方法
──附・用例検索の方法、長期トレンド検索法

たとえば「図書」

　Book、本、書籍、書物と同義語とされる「図書」という言葉がある。これは図書館学の専門語でもあるが、もちろん一般語でもある。

　ネット上で専門用語集もただで引ける辞書データベース（DB）「コトバンク」で「図書」を検索すると、「絵図と書物。多く、書物・書籍の総称として用いられる。ほん。ずしょ。」（精選版 日本国語大辞典）といった一般語としての意味や、図書館学用語としての意味もわかる。

　けれど、もともと「絵図」と「書物」を並列的にあわせた意味だったのに、なぜ現在「書物」の意味にしか使わないようになっているのかの説明はない。

　ある単語の意味の変遷などを調べようと思った時に、ふつうの辞書や事典を引いても、意味の話「語釈」がでてくるばかりで、「図・書（ずしょ）」がなぜいつごろ「図書（としょ）」になったのかといういきさつが書いていないのだ。意味が変わった経緯などを説明する文章を「語誌」という。

「語誌」とは語源や言葉の意味の変化
　「語誌」とは、「ある言葉の起源や意味・用法などについての変遷。また、それを書いたもの」（デジタル大辞泉）である。要するに、言葉の語源や、意味の変化、使い方の変化についての説明というところだ。

　たとえば「全然」の使い方。「全然○○しない」のように文末を否定形にするのは OK だけれど、「全然○○だ」といった肯定形はいいのか？といった話である。これは用法の変化。

ある言葉の語源や意味変化を調べるには、要するにその言葉の「語誌」記述を見つければいいわけだ。

語誌のみつけかた①　『日本国語大辞典』を引く

もちろん一部の単語だけだが、日本最大の国語辞典『日本国語大辞典』（日国）に語誌が掲載されていることがある。

最近、私は読書史を研究しているので、「よむ」という動詞【図 14-1】を見てみよう。

【図 14-1】『日本国語大辞典』の項目「よむ」

よ・む【読・詠】㊀〘他マ五(四)〙（声に出してことばや数などを、一つ一つ順に節をつけるように区切りを入れながら(唱えるように)言う行為を表わすのが原義）①声に出して一つ一つ区切りながら言う。㋑（一つ、二つ、三つ…のように）声に出して順にたどって数え上げていく。かぞえる。＊万葉(8C後)一七・三九八二「春花の移ろふまでに相見ねば月日余美(ヨミ)つつ妹待つらむそ〈大伴家持〉」＊塵袋(1264-88頃)一〇「もののかずをかずうるをよむと云ふは、下賤の詞歟、つねにはげすのことばと思へり」＊日葡辞書(1603-04)「メヲ yomu（ヨム）、または、カゾユル〈訳〉数える」＊浮世草子・世間胸算用(1692)四・一「京の広ひ事をしらぬゆへ、掛乞が百銭をよみける」＊浄瑠璃・平家女護島

仕組んで詠する ⑦カ人夕遊でをすそ ＊浮世草子・懐硯(1687)一・二「布袋屋がるたの十馬八九〈略〉小者とも壱文二文に読(ヨミ)て程なく」 ㊁〘マ下二〙⇨よめる(読)。

語誌 (1)本居宣長の「古事記伝-三九」に「凡て余牟(ヨム)と云は、物を数ふる如くにつぶつぶと唱ふることなり〈故物を数ふるをも余牟と云り。又歌を作るを余牟と云も、心に思ふことを数へたてて云出るよしなり〉」とあるように、原義から見れば①㋑も㋺も②も本質的に違いはなかったといえる。(2)①㋑と類義の「かぞふ(かぞえる)」は、上代・中古では、数を順に唱えていくような数え方ではなく、数量を計算する、勘定して数を把握することに重点があったと思われる。(3)①㋑の挙例「塵袋」の記述から、中世以降は俗語の性格

すると末尾あたりに「語誌」という項目が立項されている。

語誌

(1) 本居宣長の「古事記伝 - 三九」に「凡て余牟（ヨム）と云は、物を数ふる如くにつぶつぶと唱ふることなり〈故物を数ふるをも余牟

と云り。又歌を作るを余牟と云も、心に思ふことを数へたてて云出る
よしなり〉」とあるように、原義から見れば（1）（イ）も（ロ）も（2）
も本質的に違いはなかったといえる。

　本居宣長が読むの語源について説を立てているとわかる。「ひとつ、ふ
たつ、みっつ」と数えるがごとく声をだすことが元の意味（原義）だという。
「つぶつぶ」とは粒々。ものごとが粒状である様子。江戸時代まで、読書
は声に出して読み上げるのが普通で、現在のように黙って読書するのが普
通になるのは日本では150年ほど前から始まった。これは、音読・黙読問
題として読書史では重要な論点になっている。
　しかし、本居宣長は江戸時代の国学者。その後、語誌研究はなかったの
だろうか？

語誌のみつけかた②　先行研究を専門書誌（専門DB）で探す
　日国より先に踏み込む場合、「語誌」研究文献を探すことになる。『一語
の辞典』（三省堂、1995〜2001）といった、1冊で1単語を扱うシリーズ
図書もあったし、石塚正英、柴田隆行監修『哲学・思想翻訳語事典 増補版』
（論創社、2013）といった「概念史」「観念史」の辞典類でも、語誌が扱
われていることがあるが、ここではオーソドックスにボキャブラ研究とい
うか、「語彙研究」の専門書誌（おおむね論文リスト）を紹介する。これ
らを検索することで、語誌研究を見つけられるだろう。

A-a. 佐藤喜代治『語彙研究文献語別目録』明治書院、1983
　凡例によると「原則として明治以降昭和五十七年までに刊行された単行
本・雑誌・紀要・講座・全集・論文集の類の中から該当するものを選んだ。
なお、本講座所収の論文は十一巻まですべて採録した」という。この書誌
は、次に述べるA-bとして、データがネット上で公開されている。

A-b.「語彙研究文献語別目録」データ（国立国語研究所）

　このデータは A-a の中身をエクセル表に起こしたもの。ダウンロード
してエクセルの検索機能を使って項目を見る。

B. 李漢燮編『近代漢語研究文献目録』東京堂出版、2010
　　NDL のリサーチ・ナビによると B は、近代漢語（新漢語）の「語彙
についての研究文献、延べ約 8,200 件を収録。漢語語彙を見出しに立て、
五十音順に排列。原則として 1945 年から 2008 年までに発表された、単
行本、学術論文を中心に、各語彙の成立、出自、概念、意味などを研究
する文献を掲載」するという。

　これら専門書誌 A と B をあわせると、漢語系（注 1）のワードなら明
治以降 2008 年までの語誌研究が、やまとことばだと 1982 年までの語誌研
究が拾えることになる。
　また、例の NDL 人文リンク集で言語の項目を見ると、A のほかにも、
ちょっと使いづらいが、次の新聞記事リストもあるとわかる。

C. ことばに関する新聞記事見出しデータベース（国立国語研究所）
　　1949 ～ 2009 年の新聞記事を採録。これもデータをダウンロードして
使う。実際の記事はその多くを国会図書館などへ行って見ることになる。

実際に専門書誌を見てみよう①──「読む」の語誌

専門書誌 A-a、『語彙研究文献語別目録』「よむ」の項目がこちら【図 14-2】。

【図 14-2】『語彙研究文献語別目録』「よむ」の項目

昭和 14 年の柳田国男によるものからはじまって、6 点の「よむ」についての語誌研究がリストアップされている。

A-b のエクセルデータをダウンロードし、エクセルの検索機能で「よむ」を表示させると、おなじデータが出る【図 14-3】。

【図 14-3】語彙研究文献語別目録（エクセル形式）「よむ」の項目

	ページ	かな見出し	旧かな	代表表記	品詞	著者	文献名	書誌情報
16552	400	よみ		未味		中沢攻雄	『皆子的昌語─〈さひ/から〉よみ〉まじ』	『国語教育科学』17~6昭52・6
16553	400	よむ		読・詠		柳田国男	『国語の将来』	昭14・9創元社＝『定本柳田国男集19』昭38・2
16554							『日本語の歴史2』	昭38・12平凡社
16555						森田良行	『基礎日本語1』	昭52・10角川書店
16556						神野富一	『〈歌をヨム〉こと』	『国語国文』48-3昭54・3

「佐藤稔❾」というのは A-a と同じ『講座日本語の語彙』シリーズの 9 巻目に佐藤稔による「読む」の語誌が記述されているということ。

汎用の記事索引でフォローする

「よむ」は漢語ではなさそうなので B の専門書誌が使えない。そこで 1982 年以降の語誌研究があるかないか、一応、汎用の雑誌記事索引で検

索してみる。専門書誌がカバーしない範囲はすぐにあきらめず、適宜、汎用の雑誌記事索引で補う必要がある。

　ざっさくプラスを、「読む」系（他にも「よむ」）と「語誌」系（他に「語源」「語彙史」「語彙研究」）のキーワードで and 検索で見たが、見当たらない。CiNii リサーチも同じ。

　最後の望みをかけて、論文タイトル：読む and 全文：語誌で、J-STAGE を検索してみるが（ほかにも「よむ」「語誌」なども試した）、やはりそれらしいものは見当たらなかった。

NDL サーチで新しめの語誌文献が出た

　NDL の元祖雑索はどうだろう、念のため引いておくかと、人文リンク集の雑誌記事索引のところから、NDL サーチへ画面遷移して引いてみる。

　新 NDL サーチは雑誌記事を引く場合、「資料種別」のチェックボックス「雑誌記事」にチェックを入れないといけない。それで引いてみるが結果はノーヒット。

　しかし、さらに念のため、単行本の部分で「読む」についての語誌が書かれてはいないかと、「資料種別」のチェックボックス末尾「すべて選択」をクリックし、さらにノイズを排除するため「全国の図書館」のチェックをはずし、検索結果を「適合度順」で表示させてみた【図 14-4】。すると、2014 年に「読む」について新しい語誌文献が出ていたことがわかった。図書の詳細データ画面に切り替えると目次があるものがあり、その目次に「よむ【数む・読む】/ 399」とあったのでわかったのだった。

　・多田一臣編『万葉語誌』筑摩書房、2014

　現在、論文を見つけるのは各種雑索 DB の発達でラクになった。図書（単行本）も OPAC にデータがほぼ入って容易なのだが、実は図書の一部（例えば論文集の論文）を検索するのが今でも意外と難しい。

【図 14-4】NDL サーチで「読む」and「語誌」で図書などを検索した結果

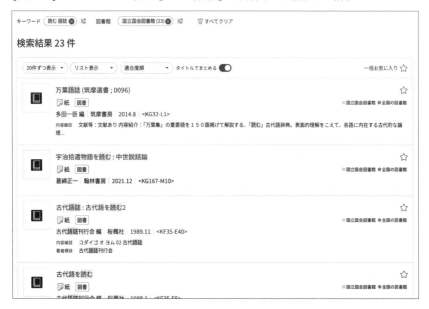

　NDL サーチで目次にあたるデータは、イ）全国書誌の「内容細目」出自のもの、NDL レファレンス部門が独自入力したロ）「目次 DB」由来のもの、ハ）デジコレ自動生成のものの 3 系統があり、NDL サーチでどれも引っかかるが、違う出自のものである。イ）は論文集的なもの、ロ）は索引的な目次情報、ハ）は一律作業で作られるもの）。今回はロ）があったのでヒットしたというわけである。

　NDL デジコレでも見つからないかと、いろいろ検索式を工夫してみたが（NDC:814 と「読む」のかけあわせ、「読む」と「語誌」のかけあわせなど）、ノイズが多くなりすぎ、また館内限定が多すぎて、うまく「読む」の語誌文献が見つけられなかった。

兵藤裕己の「読む」語誌

　この前、2002 年に別の「読む」語誌が出ていると文献魔の友人に教え
られた。しかるべき専門家や彼のような通が見つけられれば（普通なかな
か見つからないが）、その人物に尋ねるというのも調べる技術である。

・兵藤裕己『物語・オーラリティ・共同体：新語り物序説』ひつじ書房、2002

　この本に収録された「語ることと読むこと」（p.311-330）という章がそれ。
中身はというと、前近代の文芸を語ることと、読むことを対比させて論じ
ているのだが、本居宣長の「読む」語誌も確認しつつ、どうやら宣長をは
じめ、「読む」の原義を「数える」とする説をやや批判的に見ているよう
だ。文献注で『古代語誌』（桜楓社、1989）という本に、先行する「読む」
の語誌があることもわかる。ほとんどの原義説が宣長を踏襲しているので、
兵藤裕己の異説は「読む」の語誌を考えるうえで重要だ。

　　　ヨムという行為は、文字が渡来する以前から存在した。たとえば『万
　　葉集』に、月をヨム、月日をヨムなどの用例があり（中略）ふつう月
　　齢や日数をかぞえる意として説明されている。しかし古代語のヨムは、
　　音韻的にユム（斎む）・イム（忌む）などに通じ、それは「神の領域」
　　にかかわる言語行為といわれる。月日をヨムは、天体の運行をもとに
　　祭祀や農耕の時節をさだめ、潮の干満などを未然に知る一種の巫術で
　　あったはずだ。

　単に1月、2月、3月と「つぶつぶと唱える」のではなく、神秘的な表
徴である月を解釈する、読み解くというのが「読む」の原義だったのでは
ないかと、古代の「よむ」用例をいろいろ検討して兵藤は示唆する。月読
命（つきよみのみこと）という神の名があるように、その能力者が神格化
されるような特殊技能だったというのだ。

柳田国男など、従来の語誌がおおむね宣長の「数える」原義説を踏襲しているなかで、ある種の異説を唱えている形になっている。当否はともかく、魅力的な説だ。

別途見つけた多田一臣編『万葉語誌』の「読む」語誌（多田一臣が担当の項）では、本居の原義説の延長上で「ヨムとは固定されたテキストを音声によって唱えること、言い換えれば規範化されたテキストの音声による復唱を意味することになる」としている。兵藤は逆に、「太平記読み」といったものが元は規範テキストなどなく、主題はあってもそれにまつわる即興の語りの集積であったことから、「ヨマれるべきは（中略）書物のばあいでいえば「題目」「外題」——であって、特定の詞章テキストではない」とほぼ逆さの「読み」の意味を設定している。「読む」という動詞は読み解きの有資格者がやるのであれば「極言するなら、書かれた文字テキストは実体として存在しなくてもよい」とまで言う。

兵藤説は「合理的な検索」ができるか

ところでこの部分は『江戸文学』2巻4号が元論文だと本に初出情報がある。

・兵藤裕己「語ることと読むこと：太平記読みの周辺」『江戸文学』2
　（4）1990, p.112-124

この元論文をうまく引き当てることができていれば、『語彙研究文献語別目録』がカバーしていない1983年以降の、やまとことば語誌研究を見つけられたことになるので、ちょっとやってみた。この論文書誌は元祖雑索にも採録されていることが判ったが、だからといって「読む」の語誌がこれに含まれていることを合理的に検索する手段はないようだ。というのも、論題中に、「語誌」「語源」「語彙」といった語誌研究を示唆する言葉がないので、検索にひっかからないのだ。

本居以来の「読む＝数える」原義説にやや異を唱えるものだけに、合理的な検索手段がない（友人のような文献魔に教えてもらうしかない）のは

残念である。学問というものは本来、異説の並列で進んでいくものなので、多田説に至るある種、正統的な流れを読むだけでなく、異説にあたる兵藤説を見つけられなければ、「読む」の語誌を考える機会が失われてしまう。

　専門書誌 A、B を統合し、なおかつやまとことばの語誌も収録する専門書誌 DB が望まれるところだ。あとで人文リンク集の言語にリンクされている「日本語研究・日本語教育文献データベース」も検索したがはかばかしくなかった。

実際に専門書誌を見てみよう②——「図書」の語誌

　さて、本講で最初に出した「図書」の語誌についても文献がないか見てみよう。

　こちらは近代漢語（新漢語）なので、まさに『近代漢語研究文献目録』を参照することになる。見て
みると【図14-5】のように、1
件しか見つからないが『明治
のことば辞典』（東京堂出版、
1986）に「図書」の語誌がある
と判る。

　その後に語誌研究がないか、
NDL サーチで検索すると、1 件
出る【図14-6】。

【図 14-5】『近代漢語研究文献目録』「図書」
の項目

トショ【図書】　惣郷正明・飛田良文「図書」
『明治のことば辞典』，東京堂出版，1986年
12月，411頁
トショカン【図書館】　新村出「語源をさぐ
る 2 図書館と文庫」『新村出全集4』，筑摩
書房，1971年9月，390-398頁
青木次彦「図書館」考」『文化学年報』23，24，
同志社大學文化學會，1975年3月，33-63頁
松井栄一「図書館」『国語辞典にない語』，南雲
堂，1983年4月，10-2頁
小黒浩司「和製漢語図書館の中国への移入」
『図書館学会年報』32—1，日本図書館情報
学会，1986年3月，33-37頁
惣郷正明・飛田良文「図書館」『明治のことば
辞典』，東京堂出版，1986年12月，99-102
頁
湯本豪一「図書館」『図説明治事物起源事典』，
柏書房，1996年11月，384-385頁
杉本つとむ「図書館」『語源海』，東京書籍，
2005年3月，450頁

【図 14-6】NDL サーチで「図書」and「語誌」で検索した結果

・鈴木宏宗「明治10年代「図書館」は「書籍館」に何故取って代ったか：「図書」の語誌に見る意味変化と東京図書館における「館種」概念の芽生え」『近代出版研究』（[1]）2022, p.186-205

　この鈴木論文は「ライブラリー」や「ビブリオテーク」の定訳だった「書籍館」という語が、なぜ「図書館」に切り替わってしまったのかを探ったものだが、いままで100年以上、誰もさっぱり理由がわからなかったところを、「図書館」でなく「図書」の語誌を追跡することで、初めて理由を解明しえたもの。

　「図書」の語誌を追跡するにあたっては、ちゃんと『明治のことば辞典』を参照し、明治20年代になって、「図書」が「図＆書」でなく、書籍のみを意味するようになったという流れを理解している。その後で、あたりをつけた明治10年代の「図書」の用例検索をし、細かい実証をして、同年代に主に法令文が誤解された影響で「偏義」現象が起き、「図書」が「書」

のみの意味になっていったのではないかという。

（おまけ）用例検索の方法

　語誌文献が見つからないので自分で用例検索に乗り出し、自分で語誌を探るということもあるだろう。

　「孤証は証ならず」（一個だけ証拠を見つけても証拠にならないよ）といった考証学的な慎重さや、その言葉が使われる分野の知識、さらに江戸以前なら古語の知識がないとトンデモに陥るので、あまり推奨しないのだが、一応、近代以降の用例検索限定でその簡便な方法を書いておく。

　伝統的な方法としては、明治期なら『明治文学全集』の総索引の巻を引くぐらいしか手がなかったが、近年の全文 DB の開発で、近代日本語のテキストを検索できればよいということになってきている。

　NDL 人文リンク集で関連する項目は、総記の「全文データベース」の項、言語の「用例検索」の項、日本文学の「全文データベース」の項なので、それぞれにリンクされている DB を検索することになる。

主要な全文 DB

　人文リンク集にある主要な全文 DB を ABC 及び五十音順に列挙してコメントしてみた。

・Google ブックス
　誤変換が多く使うのが難しいが、いつも必ず念のためこれを引くのが私の習性になっている。これについては拙著『調べる技術』第 9 講を参照のこと。
・J-STAGE　（国立研究開発法人科学技術振興機構）

意外と戦前の論文もある。当初理系の論文 DB だったが今は日本の全学問で本文が見られる論文を収録する。全文検索するには、詳細検索まで降りて、指定検索のプルダウンメニューから「全文」を選択しないといけない。

・青空文庫

文芸作品がほとんどなので、小説などのセリフから口語を、情景描写から風俗などを拾うのに適す。検索用に「用例.jp」もある。

・国会会議録検索システム（国立国会図書館）

採録対象は 1947 年〜。やや堅い口語を検索するのに適するが、「バカヤロー解散」など、肝心の文言が協議の上削除されている場合がある。帝国議会議事速記録が全文 DB になればさらに戦前の口語が検索できるようになるだろう。

・国立国会図書館デジタルコレクション

今回、語誌文献を見つけるのには失敗した。検索結果一覧に本文は一部表示されるが、目次が表示されないのがうまく見つけられない原因だと思う。

・次世代デジタルライブラリー （国立国会図書館）

明治〜戦前の単行本が大半（2 割強は江戸期以前の本）。ヒットした版面でキーワードの位置がピン表示されることがあるのが良い。

・少納言（国立国語研究所）

採録対象は 1971 〜 2005 年。書籍・ブログなどを検索できる。

用例を集計した長期トレンドについては本書第 13 講を参照のこと。

今回判ったこと——専門書誌の重要性

日本語学や日本文学研究者が随時、語誌を調べる。それはテキストを自分で読むためだからか、語誌研究は論文でなく、単行本の一部として発

表されがちなため、すでに言ったが参照が難しい。「情報粒度」でいうと、単行本レベルは図書館の蔵書目録 DB（いわゆる OPAC）の発展でかなり楽になり、一方で本文レベルはデジコレなど全文 DB の開発でかなり楽になりつつある。またざっさくプラスや J-STAGE など、論文検索もかなり楽になってきた。文献を検索する際、目下のところ一番むずかしいのが単行本の一部、構成レベルを検索することである。

　実際、今回「読む」の語誌文献を、専門書誌から 6 点、NDL サーチから近年のものを 1 点見つけたが、いちばん面白い議論を展開していた 1990 年の 1 点と、それに言及された 1 点は、文献魔（物知り・専門家）に教えてもらってようやく見つけた。

　専門書誌の重要性を改めて感じた。しかしいちばん肝心の語誌は文献魔のお世話になっている。ここにレファレンス・ツールの開発余地があると判ったことだった（もちろん文献魔、レファレンス職人もありがたいが、皆が皆、こういった人達とお友達になるわけにもいかないだろう）。誰か日本語学者が作ってくれないかなぁ。

（注 1）とりあえず言葉を調べる際は、次の 3 種類に分けて考える。1）古くからある漢字のワード「漢語」（音読みのもの。近代初頭に翻訳語として出来た「新漢語」もある）、2）日本列島で話されていたワード「和語（やまとことば）」（訓読みのもの）、3）西洋から伝来した「外来語」（カタカナ語）。外来語はあらかわ・そおべえの『外来語辞典』が役に立つ

コラム E　「○○○の科学は世界一チイイイイ!!」
ネット発生の事柄はネット情報源で

　ネットジャーゴンや、マンガの有名フレーズなど、ネットミームに類する事柄を調べるには、グーグル検索経由で行くのが便利だろうが、現在では「ピクシブ百科事典」（2009 年～）や「ニコニコ大百科」（2008 年～）を使うとよいだろう。総じて、ネット普及以降の事やそれ以前の事でも、サブカル関連のことは下手に紙メディアを探すより、ネット情報源を頼るほうが簡便だし信頼性も高いと言えよう。

地図なきダンジョンの歩き方 —— あとがきに代えて

前著出版後の新しいネット情報源
——デジコレやら ChatGPT やら

　前著が 2022 年 12 月上旬に発売されてから 1 年半の間にも、調べものの世界で重要なネット情報源が 2 つ登場した。ひとつは NDL デジコレのデータ公開大規模化であり、もうひとつは ChatGPT に代表される大規模言語モデル（LLM）である。

　前著および本書は「きちんと」調べることをモットーにしているので、LLM を使わない方向で書かれている。ちょっと試してみたが、いわゆる「壁打ち」的な発想の手助けには大いになるものの、LLM の答えは「きちんと」調べた結果になっていない可能性が残り続ける。なにより、別途、LLM 以外でも確かめて調べ直さないと、その答えを「検算」したことにならないようなので、LLM が改善・向上しても、きちんと調べるには当面、従来の延長上にある「調べる技術」も必要なままではなかろうか。

レファレンスとは、突き合わせること、引き比べること

　「きちんと」調べるには、リファーしまくらないといけない。あっちの統計とこっちの図表を突き合わせ、誰それの記述と違う誰かの証言を引き比べるといったことを繰り返す。辞書にも「参照する」とは「他のものと照らし合わせてみること。引きくらべて参考にすること」（日国）とあるし、漢和辞典によると、「参照」や「参考」の「参」とは、もともと「3 つ」という意味があり（旧字体は「參」で「ム」が 3 つある）、それから派生してか「くらべる、ためす」といった意味がある（諸橋大漢和など）。

【図 15-1】回転式書見台
（16 世紀アゴスティーノ・ラメッリによる）

　同時並行で、3 つ以上の多数の文献を比べて少しずつ読むこと、それが
レファレンスという作業なのだ。実際にやったことのある人ならわかるだ
ろう。今となってはなつかしいが、畳敷きの部屋が意外と調べものに向い
ていたのは、いろいろな文献を開けたままいくらでも展開できたからであ
る。

　西洋には畳敷きの部屋はなかったし、なにより本が和本と比べてとても
重たいものだったので、本をたくさん、開いたまま引き比べるための装置
がルネサンス期に考案されている【図 15-1】。

マルチウィンドウが達成するもの

インターネット普及の前提に、パソコンの基本ソフト Windows95 の普及があった。マルチウィンドウが実用化して画期的だったのは、同時並行で「窓」——ウィンドウを、たくさんモニター上に開けていられたからだ（Macは別格）。いろいろな情報を参照しながら作業を進められるようになって、はじめて本当の意味でコンピュータは仕事に役立つようになったのだった（最近は複数ウィンドウより複数のタブで同機能が達成される傾向）。

しかし、同様のことは紙メディア時代から構想されていたのは、【図 15-1】で見たとおり。これは紙メディア版ウィンドウズだ。昭和人には奇妙な器械に見えるが、現在、PC を使っている人々にはむしろ、この器械で達成されている機能がよく分かるだろう。とある外国人は実作された回転式書見台を「中世ブラウザの多数タブ」と呼んでいる【図 15-2】。この紙版ウィンドウズ器械はリサーチのためには複数の書物の窓を開いたまま、同時並行して参照する必要があったことを明示している。

しかしこの奇妙なマシーン、実は 1961 年にこの日

【図 15-2】回転式書見台を「中世ブラウザの多数タブと呼ぶ X（旧ツイッター）のエントリ

Scott Davidoff
@designinspace

Medieval browser tabs — how scholars jumped between multiple texts #desktopmetaphor #notametaphor at Mexico's first public library
ポストを翻訳

午後1:48・2019年1月4日

（https://twitter.com/designinspace/status/1081049819567804416）

本でも瞬間、実現されていたことを知る人はそうはいまい。レファレンサーのために昭和36年、NDL新庁舎の書庫内で使われたらしいものがそれ【図15-3】。一億人の日本人のうち百名程度しか使う資格がなかったが、すべての日本語文献が集まっている小宇宙（国立図書館の書庫）で自由に移動できるキャレルは、さながら日本語ドキュバース（文献世界、前著第2講）を自由に参照できるからくりだったわけだ。

【図15-3】昭和36年のウィンドウズ器械（注1）

（注1）小林昌樹「移動式キャレル（ビジュアル国立国会図書館博物館）」『国立国会図書館月報』（569/570）p.11, 2008.8. ※1961年にNDLの中央書庫内に移動式キャレルが置かれ、全情報に自在にアクセスできることになっていた（実際には1970年代にすでに運用されなくなっていたが）。

永遠の過渡期には適当に付き合う──2週間で陳腐化するとも

ところで、前著のアマゾン、カスタマーレビューにこんなものがあった。書き手は「アルプス」さんという「映画好き、マンガ好き、読書好き」な方。

> 今やインターネット時代となり、便利になるには成ったが、今度は「行き先表示板の無い巨大ターミナル駅」に迷い込んだような状態に陥ってしまった。しかも、このターミナル駅、年がら年中、改修工事・拡張工事を行っている。東京駅や渋谷駅の比ではない。
> こういう分野で本を書くと言うのは、とても勇気の要ることだ。（中略）この分野で著書を持てば、五年で陳腐化する「電話帳」みたいな扱いを覚悟するしかない。

果たして前著は5年と言わず、2週間で陳腐化した（NDL次世代デジタルライブラリーを紹介する第10講）。それでも今回2冊目を出すのは、「勇気」というより、あきらめの気持ちがベースになっている。

「いつまでも あると思うな データベース」

前著（の第10講）は2週間で陳腐化したが、一方で、本当に陳腐化したのかというとそうでもない気がする。陳腐化の主因となった新NDLデジタルコレクションについては、その試作品であったNDL次ぎデジの第10講説明を読者の側で適宜、読み替えれば、ほぼそのまま自力で利用できるはずだ（今回は続編ということでデジコレについて2講も新しく立てたが）。

繰り返すけれど、個々のツールを憶え込むのがレファレンサーのノウハウではない。ツールを系統や種類などグループで憶えて、案件のパターンごとにセットで使うこと、これがノウハウのコアである。「NDLデジコレがすごいとSNSで評判のようだな〜　NDL次ぎデジとそっくりだけど、

戦後の分も引けるな。ああアレはコレの試作品だったらしい」とわかれば
それでよいのである。もちろん実際に使う際には1点ずつ操作はするが、
本だって同じ。読む時は1冊ずつしか読めないが、調べ物で読書する、つ
まり参照する際にはたくさんの本を少しずつ読んでいる。データの新旧の
系統を対応させるのも同様に参照（レファレンス）行為に類似ではないか。
ネットで友人が「いつまでもあると思うなデータベース」という格言を唱
えていたが、それに対応できるノウハウを前著と本書で書いたつもり。

地図なきダンジョンにも歩き方はある

　もともと、調べ物に体系や方法論などはない（のかもしれない）。少な
くとも、インターネットという「行き先表示板の無い」言説空間は、たし
かに「年がら年中、改修工事・拡張工事を行っている」のであらかじめマッ
ピングできない。会社も大学も、あるいは社会も、むやみにそこを歩けと
いうのだから困ったものである。しかし当節、紙の言説空間ばかりに引き
こもってもいられないのも事実。最低限の「歩き方」ガイドが必要だろう。
　人気マンガ『ダンジョン飯』の中盤で、主人公たちが潜っているダンジョ
ン「迷宮」の主が、その迷宮をやたらと組み換えてしまうという場面があっ
たが、先導役のパーティー・メンバーは、それでも一定の歩き方があるの
だと言って歩き続けていた。そんな感じ。

紙版ドキュバースの歩き方をネットに融合

　実はインターネットならぬ紙の世界、ドキュバースも、もともとは「行
き先表示板の無い」世界だった。まずは文献を大量に集めはじめたのが紀
元前3世紀（アレクサンドリア図書館）。それを人類の全知識が入る（と
称する）十進分類法のような万能分類表やら、全部集まっている（という

建前の）巨大な国立図書館やら、普遍書誌と豪語する世界の全文献リストやらで、より具体的に「整理」されてきたのが、ここ 400 年ほどの新しい事態だった。そして、それらをてこにドキュバースの水先案内人として 130 年ほど前、アメリカに登場したのがレファレンス司書という専門職だった。

「昭和36年のウィンドウズ」がおととしから各家庭に

そしていま、我々が PC を開けば、まさに紙版ウィンドウズ——永田町の書庫内で一部のレファレンサーのみが享受できた器械——が NDL デジコレなる名称で一昨年末から提供されていることがわかる（それまでの初期デジコレは量的にも質的にも使いものにならなかった。前著で次ぎデジを紹介したのはそのため）。あなたもデジコレを覗き込めば、全日本語文献を自在に参照できるはずなのだ。NDL デジコレで「送信サービスで閲覧可能」な資料が増えれば増えるほど、首都圏民ばかりにサービスしてきた国会図書館が本来の「国民」図書館に変貌していく。いま日本語ドキュバース内で調べものをする人は、そういった NDL の、まさに DX（デジタル・トランスフォーメーション）に立ち会っている。

私が前職 NDL に就職した動機の一つは、一般国民には閉ざされた書庫内で立ち読みをしたかったからだが、「昭和 36 年のウィンドウズ」よろしく毎日 15 年ほど仕事で参照しまくった結果、レファレンスのノウハウが身についた。さらに研究開発プロジェクト（注 2）をきっかけに言語化もできるようになったので、ここに開陳した次第。

（注 2）小林昌樹、村尾優子「レファレンスの事例分析から汎用スキルを抽出する試み：その共有のために」『図書館雑誌』111（2）p.75-77、2017.2 ※これは頓挫したプロジェクトの前フリだった。行いとして参照できるようになることと、その技法を説明できることは全く別の能力である。

サービスしておいたのであとはご自身で

　前著『調べる技術』と本書『もっと調べる技術』では、調べものを、ネット情報源を通じて日本語ドキュバースに行き着くという形で展開した。基本的には、紙時代にレファレンサーが蓄積したここ130年ほどのノウハウをネット世界（日本語のだけだが）にも当てはめ、連動させてみたものである。

　基本的なことは前著に、最近のツールや発展的事例については本書に書いた。こういったハウツー本では事例がとても重要なのだが、昨今の個人情報保護の観点から他人の疑問や悩みを使いづらい。そこでやむなく、私個人の趣味や疑問、体験を事例にする出血大サービスを展開しておいたので、あとは本書を書店でなりブックオフでなりで入手していただいて、自分なりの趣味や疑問から日本語ドキュバース探検をしてほしい。

　もちろん本書の「立ち読み」も歓迎だ。近代日本の読書公衆——知的中産階級は、「立ち読み」で形成されたのではないかと薄々感じはじめている。前著や本書のスキルを使って調べた前代未聞の『「立ち読み」の歴史——それは日本で始まった（仮題)』を今年中には出したいと思っている。

　謝辞

　前著同様、メルマガ連載時から付き合ってくださっている皓星社の方々にお世話になりました。近代出版研究所の皆様方にも中身の改善に協力いただいた。縁あってサイフォン合同会社とそれに連なるの方々にもお世話になりました。第12講の幅が広がったのは、ライターの平山亜佐子さん、安田理央さんとの交流がきっかけでした。ありがとう。前著がヒットするきっかけを作ってくれた読書猿さん、ブックファースト新宿店の落合四郎さん、丸善丸の内本店（当時）の松本直亮さんにもこの場を借りて感謝します。書店の売る力を実感しました。帯文を寄せてくれた牟田都子さんにも感謝。レファレンス司書出身の書き手はほとんどいないので。

本書は皓星社メールマガジンで連載されたWebコラム
「大検索時代のレファレンス・チップス」（2023年1月27
日〜2024年2月25日）を単行本化したものである。

索引

小林昌樹(こばやし・まさき)

1967年東京生まれ。1992年慶應義塾大学文学部卒業。同年国立国会図書館入館。2005年からレファレンス業務に従事。2021年退官し慶應義塾大学でレファレンスサービス論を講じる傍ら、近代出版研究所を設立して同所長。2022年同研究所から年刊研究誌『近代出版研究』を創刊。同年末に刊行した初の単著『調べる技術』(皓星社)は1年で8刷3万部のベストセラーとなった。専門は図書館史、近代出版史、読書史。他に編著『雑誌新聞発行部数事典』(金沢文圃閣、2011。増補改訂普及版・2020)などがある。

もっと調べる技術
国会図書館秘伝のレファレンス・チップス2

2024年6月29日　　初版第1刷発行

著　者　　小林昌樹
発行所　　株式会社 皓星社
発行者　　晴山生菜
　　　　　〒101-0051　東京都千代田区神田神保町3-10 宝栄ビル6階
　　　　　電話:03-6272-9330　FAX:03-6272-9921
　　　　　URL https://www.libro-koseisha.co.jp/
　　　　　E-mail:book-order@libro-koseisha.co.jp

装幀・組版　藤巻亮一
印刷・製本　精文堂印刷株式会社

ISBN978-4-7744-0832-3